A ARMADILHA
DAS
DIETAS

Jason Lillis, Ph.D.
Joanne Dahl, Ph.D.
Sandra M. Weineland, Ph.D.

A ARMADILHA DAS DIETAS

Aprenda a Lidar com as suas Emoções e Acabe com a Batalha contra a Balança

Tradução
CLAUDIA GERPE DUARTE
EDUARDO GERPE DUARTE

Editora Cultrix
SÃO PAULO

Título do original: *The Diet Trap.*
Copyright © 2014 Jason Lillis, Ph.D., Joanne Dahl, Ph.D., Sandra M. Weineland, Ph.D., e New Harbinger Publications, Inc., 5674 Shattuck Avenue, Oakland, CA 94609 – USA.
Copyright da edição brasileira © 2016 Editora Pensamento-Cultrix Ltda.
Texto de acordo com as novas regras ortográficas da língua portuguesa.
1ª edição 2016.

Todos os direitos reservados. Nenhuma parte desta obra pode ser reproduzida ou usada de qualquer forma ou por qualquer meio, eletrônico ou mecânico, inclusive fotocópias, gravações ou sistema de armazenamento em banco de dados, sem permissão por escrito, exceto nos casos de trechos curtos citados em resenhas críticas ou artigos de revistas.

A Editora Cultrix não se responsabiliza por eventuais mudanças ocorridas nos endereços convencionais ou eletrônicos citados neste livro.

Este livro é uma obra de consulta e informação. As informações aqui contidas têm o objetivo de complementar – e não de substituir – a consulta a um profissional altamente qualificado.

Editor: Adilson Silva Ramachandra
Editora de texto: Denise de Carvalho Rocha
Gerente editorial: Roseli de S. Ferraz
Produção editorial: Indiara Faria Kayo
Editoração eletrônica: Join Bureau
Revisão: Luciana Soares da Silva

Dados Internacionais de Catalogação na Publicação (CIP)
(Câmara Brasileira do Livro, SP, Brasil)

Lillis, Jason
 A armadilha das dietas : aprenda a lidar com as suas emoções e acabe com a batalha contra a balança / Jason Lillis, Joanne Dahl, Sandra M. Weineland ; tradução Claudia Gerpe Duarte, Eduardo Gerpe Duarte. – São Paulo : Cultrix, 2016.

 Título original : The diet trap.
 ISBN 978-85-316-1358-6

 1. Autoajuda 2. Dietas – Obras de divulgação 3. Perda de peso – Tratamento alternativo – Obras de divulgação I. Dahl, Joanne. II. Weineland, Sandra M.. III. Título.

16.02995 CDD-613.25

Índices para catálogo sistemático:
1. Dietas : Perda de peso : Obras de divulgação   613.25

Direitos de tradução para a língua portuguesa adquiridos com exclusividade pela EDITORA PENSAMENTO-CULTRIX LTDA., que se reserva a propriedade literária desta tradução.
Rua Dr. Mário Vicente, 368 — 04270-000 — São Paulo, SP
Fone: (11) 2066-9000 — Fax: (11) 2066-9008
http://www.editoracultrix.com.br
E-mail: atendimento@editoracultrix.com.br
Foi feito o depósito legal.

À minha mãe, por me incentivar e
inspirar neste caminho.
– Jason Lillis

À minha neta recém-nascida, Mildred.
Que o espírito da autocompaixão, o qual
é a base deste texto, possa ajudá-la na
grande jornada da vida que acaba de iniciar.
– JoAnne Dahl

Dedicado com amor à minha família:
mamãe, papai, Robert e Jeppe.
– Sandra Weineland

Sumário

Introdução 9

1 O Problema é a Agenda da Perda de Peso 13

2 A Perda de Peso com Autocompaixão 41

3 Não Mude os seus Pensamentos, Mude o seu Comportamento 69

4 Como Escolher uma Vida Saudável Mesmo Quando Isso For Difícil 103

5 Use Valores para Formar Hábitos Saudáveis 141

6 Juntando tudo 185

7 A Essência da Perda de Peso 203

Referências 221

Introdução

Se você já tentou emagrecer e teve dificuldade para perder peso ou manter o peso depois de perder alguns quilos, este livro foi escrito para você! Se já se recriminou, se obrigou a fazer exercícios, se censurou por sair de uma dieta ou simplesmente batalhou para encontrar significado e vitalidade nos hábitos saudáveis que estava tentando desenvolver, nós temos uma alternativa. Este livro apresenta um caminho diferente para a perda de peso, e para uma vida saudável de um modo geral, por meio de técnicas de vanguarda para a mudança de comportamento da terapia de aceitação e compromisso (Hayes, Strosahl e Wilson, 1999).

A abordagem da terapia de aceitação e compromisso (ACT – Acceptance and Commitment Therapy), que se pronuncia como uma única palavra [*act* (ação) em inglês]) é compassiva. Nós vamos lhe ensinar a mudar os seus hábitos de uma maneira humana, concentrando-nos em levá-lo a entender como ser saudável se encaixa em uma vida que você realmente deseja ter. Vamos lhe dar ferramentas para que você interaja com os pensamentos e sentimentos difíceis de uma maneira diferente. Vamos também nos concentrar em fazer o que funciona, em vez de seguir regras rígidas. Queremos que você ame a si mesmo enquanto faz as mudanças e vamos lhe ensinar como fazer isso. Os livros de dieta com frequência vendem um programa de sacrifício que supostamente lhe proporcionarão a vida que você deseja – um dia. Estamos promovendo uma coisa diferente: a ideia de que você pode ter a vida que quer agora, enquanto desenvolve, de modo gradual, hábitos mais saudáveis ao longo do tempo.

Temos de fazer uma advertência: se você nunca tentou emagrecer antes, existem outros recursos, mais abrangentes, que podem ajudá-lo a obter as informações de que precisa para influenciar o seu peso. Neste livro, partimos do princípio de que você tem um bom conhecimento a respeito de como perder peso e de que está tendo dificuldade em aplicá--lo ou manter as mudanças ao longo do tempo. É aqui que entram os nossos métodos, os quais o ensinam a lidar com os obstáculos que atrapalham a aplicação desse conhecimento.

Queremos que você saiba, logo de início, que este livro não está repleto de conselhos sobre dietas, instruções passo a passo sobre como se exercitar melhor e assim por diante. Você não encontrará receitas e verá muito poucas informações a respeito de nutrição, tampouco vamos discutir coisas sobre o valor relativo da margarina *versus* o da manteiga. Se estiver procurando essas coisas, existem inúmeros recursos que tratam desses assuntos, e muitos deles são bastante úteis. Temos um capítulo que aborda os fundamentos da perda de peso, mas ele fica no fim do livro. Por quê? Porque reconhecemos que não adianta aplicar regras de emagrecimento se você não mudar primeiro, e de modo fundamental, sua perspectiva e a maneira como encara a vida.

A maioria dos capítulos está estruturada com a breve história de um cliente no início, seguida de uma visão geral de fácil entendimento da abordagem da terapia de aceitação e compromisso relevante para os temas abordados no capítulo. Depois, sugerimos exercícios: algumas atividades que devem ser feitas de imediato e outras ao longo do tempo. A abordagem da ACT é experimental. A fim de aprender as habilidades necessárias, você precisa efetivamente executar esses exercícios. Entender conceitos é muito diferente de *experimentá-los*. Para que essa abordagem realmente funcione, você precisa se dedicar às atividades e aprender com as suas experiências.

Você também vai precisar de um diário enquanto estiver trabalhando com o livro. Muitas das atividades requerem que você escreva um pouco, e, de um modo geral, pedimos que você use o diário para isso. Sinta-se à vontade para usar o computador, se isso funcionar melhor para você. Mesmo assim, às vezes um diário de papel é imbatível, especialmente porque você pode mantê-lo junto do livro o tempo todo.

As lições aqui apresentadas se baseiam umas nas outras e se complementam. Você talvez queira dar primeiro uma lida rápida no livro, mas para fazer isso terá de saltar muitas das atividades. Se você quiser ler o texto inteiro para ter uma visão geral, faça isso. Programe-se para realizar as atividades de curta duração à medida que for lendo. Ao terminar, recomece a leitura, tomando o cuidado de fazer todas as atividades ao ler o livro pela segunda vez. De modo alternativo, você pode começar dedicando-se paulatinamente a cada capítulo. Isso será mais gratificante, uma vez que as habilidades aprendidas se desenvolverão naturalmente e se basearão umas nas outras. Você também poderá usar o livro repetidas vezes e talvez ache proveitoso repetir a leitura. Se você de repente notar que perdeu o rumo, volte ao livro e execute algumas das principais atividades para reforçar as habilidades essenciais e começar a avançar de novo.

Chamamos algumas das atividades de "exercícios de prática prolongada". Elas são exatamente o que o nome diz: atividades que devem ser executadas ao longo de períodos mais extensos, algumas semanas ou mais. Programe-se para fazer algumas por vez e vá introduzindo outras quando estiver pronto.

Seja bem-vindo! Estamos empolgados por você ter escolhido trabalhar com este livro e prometemos ser guias compassivos e sinceros durante toda a sua jornada. Vamos começar!

Capítulo 1

O problema é a agenda da perda de peso

Como você está lendo este livro, imaginamos que esteja se sentindo frustrado com relação ao seu peso. Você provavelmente tem consciência de que precisa comer de uma maneira diferente ou talvez ser mais ativo. Talvez saiba, aproximadamente, quantas calorias deveria ingerir para emagrecer, os tipos de alimento que deveria comer e como acompanhar o seu progresso. No entanto, continua a ter dificuldades.

Talvez você tenha tentado comer menos, se concentrar em alimentos de baixa caloria ou alta proteína ou ainda tenha se apoiado fortemente em refeições pré-embaladas ou *shakes* de emagrecimento. Essas dietas devem ter parecido razoáveis. Talvez você tenha tentado fazer isso sozinho, com o seu parceiro ou um amigo ou talvez tenha participado de reuniões em grupo. Você pode ter se matriculado em uma academia, contratado um *personal trainer*, comprado vídeos de exercícios ou um equipamento para se exercitar em casa. Se você fizesse uma lista de tudo que já tentou durante todos os anos em que se debateu com a perda de peso, provavelmente constataria que várias vezes conseguiu emagrecer. Na realidade, toda essa experiência pode tê-lo tornado um especialista em perda de peso. No entanto, até hoje, você continua tendo dificuldades.

Temos boas notícias. Se você deseja adotar uma abordagem nova e diferente de emagrecimento, este livro oferece uma alternativa baseada em fatos concretos. Ele o ajudará a assumir uma perspectiva diferente a respeito de como viver a sua vida, combinando a experiência em perda de peso que você já tem com um modelo psicológico chamado terapia de aceitação e compromisso (ACT, Acceptance and Commitment Therapy). Várias pesquisas científicas demonstraram que a ACT é eficaz para promover a perda de peso (por exemplo, Lillis *et. al.*, 2009) e o exercício (por exemplo, Butryn *et. al.*, 2011). A ACT pode ajudá-lo a desenvolver hábitos saudáveis vitais e gratificantes para você. A terapia apresenta uma maneira inteiramente nova de abordar o controle do peso, e acreditamos que ela possa funcionar para você.

Temos também más notícias: o livro não é uma pílula mágica. Você já achou que, se ao menos conseguisse se motivar adequadamente, conseguiria ter sucesso? Ou talvez tenha pensado que, se encontrasse as receitas certas, tivesse um pouco mais de tempo, aprendesse a melhor maneira de se exercitar ou descobrisse por que você gosta tanto de comer, tudo seria resolvido. Na realidade, o fato de você ter escolhido este livro pode ser uma abordagem semelhante. Você pode estar imaginando que encontramos o ingrediente secreto.

Este livro não contém truques ou panaceias simples. Entretanto, podemos lhe oferecer uma maneira alternativa de viver. Esta não é apenas uma maneira de perder peso, e sim uma maneira de se *envolver com a vida* – uma vida significativa, vital, plena e conectada; uma vida guiada pela sua bússola interior que inclui hábitos saudáveis como uma escolha, não como uma sentença de prisão; e também uma vida que inclui o controle do peso, se isso, de um modo verdadeiro e profundo, for importante para você.

Se o que acabamos de dizer soa como algo que você está disposto a investigar, nós o convidamos a nos acompanhar em uma jornada. Pedimos que nos acompanhe na viagem inteira, porque essa jornada não é do tipo que você pode separar em pequenos trechos. O todo é muito maior do que a soma das partes. Além disso, é preciso entender que esta é uma abordagem radicalmente diferente. Portanto, se você se sentir ocasionalmente confuso ou inseguro, ou se às vezes se perguntar para onde o estamos conduzindo, esteja certo de que esses sentimentos são aceitáveis e acredite que a abordagem começará a dar certo. Na realidade, vamos iniciar a jornada abrindo espaço para esses sentimentos e convidando-os a viajar conosco. Imagine que você está embarcando em uma longa viagem de trem e que esses sentimentos estarão sentados ao seu lado durante o percurso. É melhor convidá-los, uma vez que eles provavelmente o acompanharão de qualquer maneira!

O que a ciência tem a dizer a respeito do excesso de peso e da obesidade

Antes de embarcarmos, julgamos ser importante homenagear a jornada que você empreendeu até agora. Se você tem sido duro consigo mesmo, saiba que está apenas reagindo ao mundo como ele é. O controle do peso não é mais a norma na nossa sociedade. Claramente falando, o mundo em que vivemos promove a obesidade. Muitas pesquisas científicas têm demonstrado que esse é o caso (French, Story e Jeffery,

2001; Hill e Peters, 1998). Embora nós três sejamos *nerds* da ciência, prometemos não o entediar com um excesso de informações científicas. No entanto, sentimos que é proveitoso que você saiba algumas coisas.

Em primeiro lugar, as pessoas vivenciam a comida como gratificante e agradável, algumas mais do que outras, e, quando você se priva de certos tipos de alimento, eles podem se tornar ainda mais gratificantes (Saelens e Epstein, 1996). Se você adora *cookies* com pedacinhos de chocolate – mais do que a maioria das pessoas – os achará ainda mais saborosos se passar três meses sem comê-los. Isso não é justo! E é especialmente difícil tendo em vista o que vamos expor em seguida.

Os alimentos saborosos e não saudáveis são baratos e fáceis de obter. Os fabricantes os processam, frequentemente decompondo os componentes saudáveis deles e adicionando açúcar, gordura e sal para maximizar o sabor. Eles sabem muito bem o que acabamos de dizer: que as pessoas acham a comida gratificante, e eles sem sombra de dúvida vão se esforçar ao máximo para maximizar esse prazer! Eles também sabem exatamente quais alimentos achamos mais gratificantes, o que nos conduz ao que vamos explicar agora.

Comer açúcar e gordura altera as propriedades químicas do cérebro de uma maneira que você passa a querer ingerir mais açúcar e gordura. Embora haja alguma controvérsia com relação a isso, parece que a ingestão de alimentos gordurosos e doces modifica as propriedades químicas do cérebro de uma maneira semelhante ao uso de drogas (Volkow e Wise, 2005). Obviamente, comer pizza não tem os efeitos debilitantes ou os graves perigos de usar cocaína. Entretanto, comer pizza tem a probabilidade de levá-lo a comer mais pizza no futuro.

Sendo assim, acabamos então de lhe informar que se você comer alimentos saborosos e pouco saudáveis o seu cérebro vai querer mais. Também lhe dissemos que, se você se abstiver de ingerir esses alimentos, posteriormente os achará ainda mais saborosos. Essa certamente parece uma proposição em que não há ganhos!

Naturalmente, essa é uma simples apresentação dos fatos, a qual deixa de fora outras questões importantes, como comer fora, o tamanho das porções, o planejamento urbano deficiente, o estilo de vida sedentário e assim por diante. De qualquer modo, o importante é registrar que o nosso mundo está agora projetado para promover o constante aumento de peso. O seu único crime foi ter nascido como ser humano em uma sociedade na qual a comida é abundante e a atividade física, cada vez menos necessária.

EXERCÍCIO

▷▷ **Examine a agenda impraticável da perda de peso**

Nós achamos que há outro fator importante. Ele tem a ver com o que você aprendeu a respeito da melhor maneira de emagrecer. Vamos examinar um pouco esse aspecto. Primeiro, faça um círculo em torno do número de vezes que você tentou perder peso, mesmo que por pouco tempo:

0–5 vezes   5–10 vezes   10–20 vezes   Vezes demais para contar!

E quantas vezes você perdeu peso e recuperou pelo menos a metade do que perdeu?

0–5 vezes   5–10 vezes   10–20 vezes   Vezes demais para contar!

Agora, vamos pedir que você passe algum tempo escrevendo no seu diário. Esta é a primeira vez, e, se você não tiver um caderno ou diário à mão, pare de ler e vá comprar um! É claro que uma folha de papel será suficiente por ora, mas não demore a adquiri-lo.

Imagine que você tenha um amigo que esteja tentando emagrecer. Que conselhos você daria a ele? O que você diria que ele deve fazer? No alto da página do diário, escreva "Conselhos para um amigo". Em seguida, embaixo dessa frase, escreva o máximo de conselhos sobre perda de peso que você puder.

✳ ✳ ✳

Acabou? Estamos supondo que você escreveu conselhos muito sensatos e proveitosos. Mas não foram esses exatamente os conselhos que você recebeu? Pelo menos parte deles não está relacionada a coisas que você tentou ou disse a si mesmo que deveria fazer, talvez repetidamente? O que você disse poderia ser quase uma música sobre repetição: conte as calorias. Coma menos. Não tenha *cookies* em casa. Não coma nos eventos sociais. Procure receitas saborosas com pouca gordura. Faça mais exercício. Busque o apoio dos amigos ou da família. Persista na dieta. Não desista!

O fato de nenhuma dessas abordagens ter funcionado pode fazê-lo sentir que há algo errado com você. Mas o problema não está em você. Esse tipo de conselho não funciona para a maioria das pessoas. Nós achamos que promoveram uma solução bem-intencionada mas, em última análise, inadequada. Essa solução, oferecida igualmente pelas empresas de dieta, pela mídia e pelos educadores, é se concentrar apenas no peso e dedicar a vida quase que inteiramente à tarefa de emagrecer, focalizando toda a energia e atenção nela. O mantra é "Comprometa-se, sacrifique-se e mantenha o rumo!".

Temos uma sugestão radical: talvez a agenda da perda de peso em si seja parte do problema. As regras e dicas usuais parecem ajudar a pessoa a emagrecer no início, mas não funcionam a longo prazo. Concentrar-se apenas no peso parece simplesmente não funcionar para a maioria das pessoas ao longo do tempo.

Passe alguns momentos refletindo sobre a ideia de que, talvez, um foco restrito e único no emagrecimento tenha pouca probabilidade de produzir os resultados que você deseja a longo prazo, e que tudo que você pensa que precisa fazer, quando feito apenas em nome da perda de peso, tem a ver com uma agenda que, no final, vai fracassar. Isso pode parecer uma loucura, mas consulte a sua experiência; não as regras ou convicções que você tem na cabeça, o que leu nos livros ou ouviu a mídia, os médicos ou outras pessoas dizerem. Consulte a sua experiência. Em um sentido profundo, ela não lhe diz que isso talvez seja verdade?

Por ora, a pergunta é a seguinte: você está disposto a pôr de lado algumas das suas velhas suposições a respeito de como emagrecer e se abrir para uma nova abordagem que pode ensiná-lo a se envolver com a vida de uma maneira mais vital e relacionada com o que é importante para você? Se for esse o caso, continue a ler. Nas seções que se seguem, vamos examinar uma série de mitos da perda de peso e explicar por que a abordagem da ACT tende a ser mais eficaz do que velhas e *não* consagradas estratégias de emagrecimento.

Deixar de entender o contexto mais amplo por se concentrar nos detalhes

Pense no seguinte: você deve desejar que o seu peso não seja um problema na sua vida. Atualmente, a sua experiência talvez seja ter seu peso influenciado a sua disposição de ânimo, os seus relacionamentos e a sua autoestima. Talvez você anseie pelo dia em que não pensará muito em quanto pesa. No entanto, supostamente, a resposta para o emagrecimento é... concentrar-se mais no peso! Será mesmo possível que, para tornar o peso menos importante na sua vida, você precise dedicá-la ao peso? Alguma coisa não faz sentido aqui.

Perder peso e manter um estilo de vida saudável são coisas bem diferentes. Você pode emagrecer a curto prazo concentrando-se fortemente nos números da balança e recorrendo a uma poderosa força de vontade. Imagine-se atacando o problema com os punhos fortemente cerrados, suportando a dor o máximo possível. Você pode tentar alguns truques novos, fazer uma dieta muito restrita ou se exercitar intensamente. Mas as pessoas tendem a retomar os antigos hábitos de alimentação, abandonar os programas de exercícios e deslocar o foco para outras exigências da vida. Algo ainda pior é que o extremo empenho para perder peso pode exaurir a vitalidade da vida de uma pessoa. Você já se sentiu desalentado e esgotado depois de vários meses de dieta? Isso nos conduz ao primeiro mito que gostaríamos de derrubar.

1º Mito: *para conseguir emagrecer, você precisa se concentrar na tarefa de perder peso à custa de outras prioridades, até atingir o peso desejado.*
Com toda sinceridade, o foco restrito na perda de peso de fato funciona para uma pequena percentagem de pessoas. Elas entregam a vida ao controle do peso, e os seus esforços são bem-sucedidos. No entanto, para a maioria das pessoas isso não parece dar certo. E é correto dizer que você precisa ter algum conhecimento a respeito de como influenciar o

seu peso a fim de emagrecer. Mas estamos partindo do princípio de que você já tenha esse conhecimento. (Caso não tenha, vamos fornecer informações básicas sobre esse assunto no Capítulo 7.) Entretanto, acreditamos que um foco restrito na perda de peso seja, na verdade, parte do problema. E sugerimos que você consulte a sua experiência pessoal usando o exercício que se segue.

EXERCÍCIO
▷▷ Identificando tentativas problemáticas de perda de peso

Abra novamente o seu diário e escreva o título "Tentativas problemáticas de perda de peso". Em seguida, relacione todas as coisas que você fez em nome da perda de peso que pareceram limitar a sua vida ou privá-la de vitalidade. Crie essa lista agora.

✷ ✷ ✷

Ao examinar a lista, você talvez note que, quando se concentra exclusivamente em emagrecer e nas regras que precisa seguir para perder peso, uma coisa muito importante é perdida: a sua vida! Em vez de fortalecer a sua vida, essas regras restritivas a limitam: *não faça isto. Você não pode fazer aquilo. Decididamente evite isso. Você tem de ficar longe daquilo!* Essa não é a essência de uma vida dinâmica e satisfatória ou de um caminho sustentável para uma vida saudável.

A questão mais importante é quem você deseja ser como pessoa. O que é importante para você? O que está fazendo para alcançar o que mais importa para você? Essas perguntas são o segredo da vida saudável. Portanto, se sente que está avançando a duras penas e seguindo um conjunto de regras e restrições que não expandem a sua vida, talvez esteja na hora de ampliar a sua perspectiva e dar uma olhada no que lhe interessa e na melhor maneira de praticar os seus valores no dia a dia, independentemente de quanto você pese.

Armadilha do preciso de conserto

A segunda principal razão pela qual uma programação rígida de perda de peso frequentemente não funciona envolve o que chamamos de "armadilha do preciso de conserto".

Quando você "luta" com a perda de peso se sente frustrado? Repetindo, você provavelmente sabe o que fazer para emagrecer. Então, se sabe o que fazer, porque até agora não teve êxito? Essa pergunta com frequência conduz a outra, mais profunda: "O que há de errado comigo?".

Essa é uma dolorosa pergunta com a qual todos nós lidamos de vez em quando. Quando a fazemos, geralmente estamos procurando por uma coisa fundamentalmente errada – algo dentro de nós. Talvez tenha lhe passado pela cabeça que você precisa de mais força de vontade, que não tem motivação suficiente, que carece de confiança, que gosta demais de comer ou, ainda, que é excessivamente estressado, triste ou ansioso.

EXERCÍCIO
▷▷ **Repare no que a sua mente diz que há de errado com você**

Quando você perguntou a si mesmo *O que há de errado comigo?*, que tipo de resposta lhe veio à cabeça? Gostaríamos que você examinasse isso. Escreva no seu diário o título "O que a minha mente diz que há de errado comigo". Agora passe algum tempo escrevendo as respostas que lhe vieram à cabeça com relação às suas tentativas de perder peso.

❋ ❋ ❋

A mente humana tende a produzir algumas respostas seguras (e, não raro, pura e simplesmente maldosas) para a pergunta "O que há de errado comigo?". E, embora essas respostas sejam quase sempre falsas, ou talvez uma parte lamentavelmente pequena de um quadro global muito mais amplo, mesmo assim elas parecem autênticas e verdadeiras. Deve ter havido ocasiões em que você acreditou nessas explicações para o seu comportamento.

No entanto, acreditamos ser importante examinar a orientação que reside na essência dessa questão. Se você acredita existir alguma coisa errada dentro de você, é provável que acredite que ela precise ser corrigida. Esta última parte é realmente importante. De um modo geral, a mente apresenta uma solução com o problema: *se eu fosse mais forte, mais confiante, mais motivado, menos atraído pela comida, mais capaz de lidar com o estresse, mais feliz, mais calmo...* Como deve estar óbvio, a implicação é que, se o problema fosse corrigido, tudo seria diferente: *Eu seria bem-sucedido. A vida seria melhor. Eu não seria tão solitário...* É isso que chamamos de armadilha do preciso de conserto, e ela reside na essência do segundo mito.

2º Mito: *há alguma coisa errada dentro de você; uma vez que ela seja consertada, a sua vida será melhor.*
A armadilha do preciso de conserto pode atrapalhar o processo de perda de peso e, o que é mais importante, pode interferir na maneira de ter uma vida dinâmica e satisfatória. Quando cai nessa armadilha, você pode apertar o botão "pause" na vida. Você poderá dizer para si mesmo: *eu realmente*

preciso interromper o que quer que eu esteja fazendo e me concentrar em mudar o que há de errado dentro de mim. Depois de consertar isso, poderei fazer o que é importante.

Você já disse a si mesmo que iria à academia desde que não se sentisse excessivamente envergonhado, que só tomaria a iniciativa de fazer sexo com o seu parceiro se se sentisse *sexy* ou que faria uma refeição saudável desde que isso não o fizesse sentir privado demais das boas coisas? E se candidatar a um emprego somente se não houvesse nenhuma chance de se sentir rejeitado ou experimentar um novo *hobby* ou atividade apenas se se sentisse confiante? Em todos esses cenários, alguma coisa em você precisava ser corrigida ou "reparada" a fim de que você fizesse algo que provavelmente lhe interessava fazer. Essa é a armadilha do preciso de conserto: a exigência de que pensamentos, sentimentos, sensações corporais (como anseios) ou memórias se modifiquem ou desapareçam para você poder viver a vida que deseja. Em outras palavras, você precisa primeiro pensar e se sentir de uma certa maneira, para depois fazer as coisas que lhe são importantes. Mas é realmente assim que as coisas funcionam? Como você talvez imagine, nós não achamos que seja, o que nos conduz ao nosso próximo mito.

3º Mito: *você deveria ser capaz de controlar o que pensa e sente.*
Vamos fazer um pequeno experimento de pensamento (baseado em Hayes, Strosahl e Wilson, 1999). Imagine que o conectemos à máquina detectora de ansiedade mais sensível do mundo. Se você sentir qualquer tipo de ansiedade, nós saberemos. Em seguida lhe dizemos que a única coisa que você precisa fazer é permanecer completamente livre de

ansiedade. Você pode sentir qualquer coisa, menos ansiedade. Como queremos que você se saia realmente bem nessa tarefa, posicionamos uma gigantesca bola de demolição seis metros acima da sua cabeça, e, se você sentir qualquer ansiedade, a bola cairá nela.

O que acha que iria acontecer? A bola cairia em menos de um segundo, certo? Embora as pessoas de um modo geral acreditem ser capazes de controlar os seus sentimentos, as emoções frequentemente surgem em reação ao que está acontecendo (ou ao que não está ocorrendo). Se você tivesse uma bola de demolição posicionada acima da sua cabeça, é bem provável que ficasse ansioso!

Isso não acontece apenas com os sentimentos negativos. Eis outra experiência de pensamento: feche os olhos e sinta a maior alegria que você já sentiu. Se fizer isso agora, nós lhe daremos um milhão de dólares. Está pronto? Vá em frente!

* * *

Como se saiu? Apostamos que você dirá ter feito a experiência, quer a tenha feito ou não, porque estamos falando de muito dinheiro. Mas o fato é que não temos um milhão de dólares, então apenas avalie sinceramente a sua reação: você sentiu uma pura alegria, maior que qualquer outra que já sentiu antes? E se lhe disséssemos que você precisa sentir essa alegria, caso contrário a bola de demolição cairá na sua cabeça? Você não conseguiria, não é mesmo?

E o que dizer dos seus pensamentos? Vamos fazer uma tentativa: nos próximos dois minutos, não pense sobre seu peso ou qualquer coisa relacionada com ele: a sua aparência, comida, exercício e assim por diante. Sinta-se livre para pensar a respeito de qualquer outra coisa. Pronto? Vá em frente!

✽ ✽ ✽

Conseguiu? Se não conseguiu, você não é o único. A maioria das pessoas descobre que tentar não pensar em alguma coisa na verdade faz com que elas pensem nela (Wegner *et. al.*, 1987).

Por outro lado, talvez você *tenha sido* capaz de pensar apenas em outras coisas. Se foi esse o caso, talvez tenha notado como é difícil tentar manter a mente ocupada e não cometer um deslize. Isso pode ser extremamente exaustivo. Imagine lutar contra um pensamento o dia inteiro. Todos nós fazemos isso às vezes.

Mas mesmo que tenha sido capaz de executar a tarefa, surge um paradoxo. Digamos que você tenha passado esses dois minutos pensando a respeito de carneiros. Carneiros não têm nada a ver com o seu peso, de modo que faz sentido. Mas, para saber que você cumpriu a tarefa (não pensar no seu peso ou em nada relacionado com ele), você só pode ter certeza de que a executou corretamente compreendendo que os carneiros não são... o seu peso. Humm. Alguma coisa está errada aqui. Assim como uma pessoa sujeita a ataques de pânico checa frequentemente a pulsação, você precisa pensar *Carneiros não são o meu peso*, a fim de supostamente não pensar a respeito do peso. Em outras palavras, você precisa pensar a respeito do seu peso para saber que conseguiu não pensar nele. Por esse motivo, um ditado comum da ACT é "Se você não pode tê-lo, você o tem". Se você deseja evitar alguma coisa, precisa procurar constantemente por ela para se certificar de que a está evitando. Esse é o problema.

Portanto, aqui estamos. Os pensamentos e os sentimentos parecem, na melhor das hipóteses, difíceis de controlar, mas as pessoas tendem a cair na armadilha do preciso de conserto, exigindo que os seus pensamentos e sentimentos mudem para que elas possam viver a vida. Recapitule a lista de coisas que a sua mente disse que havia de errado com você e precisavam ser corrigidas. Esse realmente parece um caminho a ser seguido, consertar tudo isso dentro de você antes de viver a vida de uma maneira dinâmica, significativa e satisfatória? A sua mente talvez ainda esteja dizendo: *Mas eu preciso que as coisas mudem a fim de viver essa vida.* Isso é aceitável, mas talvez exista outro caminho a ser seguido, no controle de peso e, o que é mais importante, na vida.

A perda de peso como uma armadilha do preciso de conserto

Para muitas pessoas, a perda de peso é uma versão da armadilha do preciso de conserto: *Se eu perder peso, me sentirei confiante (mais sexy, simpático, competente, forte...). Terei menos dúvidas, receios e críticas a respeito de mim mesmo (não me sentirei envergonhado, não serei tão duro comigo mesmo...)*, e assim por diante. Em outras palavras, perder peso corrigirá o que está acontecendo do lado de dentro. Na verdade, isso pode funcionar para algumas pessoas no curto prazo, e você pode ter tido essa experiência durante algumas das suas tentativas de emagrecer. Talvez tenha se sentido melhor ou notado que se tornou mais confiante.

Se vivenciou isso, relembre o que aconteceu a longo prazo. Você se livrou permanentemente da vergonha, da culpa, da tristeza ou de quaisquer opiniões que tivesse a respeito de si mesmo? Elas desapareceram para sempre, para nunca mais voltar? E, se notou que elas estavam voltando, como isso fez você se sentir? Quis continuar a perder peso ou começou a se sentir derrotado? Essas vozes se tornaram muito altas quando começou a engordar de novo? A autocrítica era muito familiar? Quando a perda de peso passa a consistir principalmente em se obrigar a se sentir melhor ou pensar de uma maneira diferente, você pode estar se preparando para o fracasso.

4º Mito: *se perder peso, você será feliz e terá bons pensamentos.*
A simples verdade é que você não consegue evitar as emoções humanas normais. Afinal de contas, você é humano, e os sentimentos simplesmente vêm com o pacote. Você se lembra de ter sentido medo quando criança? Depois disso, você teve medo muitas vezes. O medo volta, repetidas vezes, mais ou menos como um cometa que orbita o sol. É assim com todas as emoções. Imagine todas elas girando ao seu redor, às vezes bem visíveis, em outras predominantemente ocultas. Às vezes essa órbita é lenta, e muito tempo transcorre entre as aparições. Algumas emoções tendem a estar próximas, de modo que você as sente com frequência. Outras estão mais distantes e são mais raras.

Mesmo que você se escondesse no seu quarto e ficasse lá o dia inteiro, todos os dias, provavelmente não conseguiria se livrar de emoções indesejadas. Alguma coisa o incomodaria: *não estou fazendo nada. Há algo errado comigo. Estou deprimido. Estou me sentindo sozinho.*

No outro extremo, se tentar fazer coisas na sua vida que são importantes, vitais e potencialmente satisfatórias, você naturalmente se abrirá à possibilidade da dor. (Vamos discutir isso detalhadamente no Capítulo 5.) Ao se abrir em áreas da vida que são importantes para você, como família, relacionamentos, trabalho e amor, lamentavelmente haverá momentos em que as coisas não irão bem. As pessoas nem sempre reagirão da maneira como você deseja. Você terá sentimentos que não deseja ter. Isso faz parte do pacote. Nós, humanos, temos a chance incrível de viver uma vida dinâmica e satisfatória, porém, em contrapartida, às vezes ficamos magoados. Não podemos ter uma coisa sem a outra.

Você talvez esteja se perguntando o que tudo isso tem a ver com a perda de peso. Se a perda de peso consistir em "consertar" você por dentro (manipular seus pensamentos, emoções, sensações físicas e memórias), isso não vai acontecer. Não existe nenhum peso mágico que o protegerá de sentimentos perturbadores. Você não pode convocar ou descartar uma emoção de modo voluntário. Por conseguinte, se as suas tentativas de emagrecer envolvem basicamente manipular as suas emoções, é pouco provável que isso funcione a longo prazo. Em vez disso, você ficará aprisionado em um ciclo interminável de tentar corrigir a maneira como se sente.

Do mesmo modo, a perda de peso não o protegerá de pensamentos desagradáveis. Você pode estar cansado da forma como a sua mente crítica sempre nota e destaca as falhas e não gosta da sua aparência e vive pensando em como as coisas poderiam ser diferentes ou melhores. Isso é compreensível, tendo em vista que as revistas exibem imagens aerografadas e modelos irrealisticamente magras, os filmes são povoados por belos atores e atrizes e um número enorme de anúncios promete que você pode ser jovem, bonito e rico, que todo mundo vai adorá-lo e que a sua vida será perfeita se você comprar o produto deles. É natural achar que a perda de peso poderia ajudar a corrigir alguns dos seus pensamentos.

Vamos fazer outra experiência. Dê uma olhada no aposento em que você está e escolha um objeto – qualquer objeto. Veja se consegue encontrar alguma coisa que possa criticar nele. Isso pode parecer estranho a princípio, mas vá em frente com a experiência. Talvez a lata de lixo seja feia, a xícara pudesse ser maior ou a televisão pudesse ter uma imagem mais clara. Não se apresse e descubra algumas críticas que possa fazer a respeito do primeiro objeto.

Agora, escolha um segundo objeto e faça a mesma coisa. Em seguida, escolha um terceiro. Reparou como é fácil fazer isso depois que você começa?

A mente humana é uma máquina de dar opinião. Essa é uma grande parte do que ela faz. Ela está sempre categorizando, avaliando e julgando. Se você duvida disso, responda rapidamente às seguintes perguntas: o dia de hoje foi bom ou mau até agora? Este livro é interessante? Qual é o seu programa de televisão favorito? Se você tivesse uma emergência e só pudesse pedir ajuda a um dos seus vizinhos, para quem você ligaria?

Apostamos que a sua mente produziu respostas para essas perguntas com facilidade. Ela fez isso porque está sempre categorizando, avaliando e julgando. Essa é uma habilidade incrivelmente proveitosa. Ela possibilita que você aja na vida e solucione problemas grandes e pequenos. No entanto, você talvez tenha notado que a mente tem predileção por julgar você. Assim como no caso da lata de lixo, da xícara ou da televisão, ela é capaz de encontrar indefinidamente um defeito após o outro.

O que isso significa para a perda de peso? Se esta consistir em se livrar de autoavaliações ou autocríticas, isso é pedir muito. O julgamento e a crítica representam uma grande parte do que a mente humana faz – *o tempo todo*. Portanto, mesmo que as peculiaridades mudem, a sua mente continuará a lembrá-lo de falhas percebidas, circunstâncias que poderiam ser diferentes ou melhores na sua vida, coisas que você poderia fazer de um jeito melhor ou que poderia ter que você não tem. Por conseguinte, se a perda de peso envolver basicamente corrigir autoavaliações e autocríticas, é pouco provável que essa estratégia dê certo a longo prazo. Uma vez mais, você está preso na armadilha do preciso de conserto.

Preciso de conserto, me liberte

Você já pensou no quanto a vida poderia ser melhor se você pudesse vestir roupas tamanho (preencha com o tamanho da sua roupa)? Sabemos que você tem em mente um tamanho. Todo mundo tem, e quase sempre ele é diferente do tamanho atual da pessoa. Ou talvez você esteja pensando que poderia ser mais firme aqui, mais forte ali ou menos arredondado em outra região. Mas vamos examinar mais a fundo essa armadilha do preciso de conserto, segundo a qual a sua vida mudará uma vez que você esteja magro, atlético ou o que quer que seja aceitável para a sua mente. As coisas simplesmente não funcionam dessa maneira. Trabalhamos com muitos clientes que tinham problemas com o peso, e nenhuma vez tivemos um cuja vida tivesse sido consertada por ele ter conseguido vestir um determinado tamanho de vestido ou calça – nunca. Você poderá se sentir bem durante um breve período, mas mudar a sua vida ainda requer que você *faça alguma coisa* com o seu novo tamanho. Isso nos conduz ao próximo mito.

5º Mito: *se você emagrecer, a sua vida automaticamente ficará melhor.*
Vamos supor que tudo neste capítulo até este ponto seja falso. Vamos supor que você possa, na verdade, pensar e se sentir da maneira que quiser, quando quiser, e que você possa alcançar o seu peso perfeito consertando-se interiormente.

Mesmo que isso acontecesse, você não teria a vida que deseja – a não ser que você deseje uma vida que envolva ficar sentado em uma sala o dia inteiro sentindo e pensando coisas magníficas a seu respeito. Você ainda precisa efetivamente viver.

Isso levanta algumas questões importantes: como você deseja viver? O que é importante para você? O que você vai fazer para se envolver com a vida no tempo limitado que tem na Terra? Mudar interiormente nunca é um substituto para viver. A vida diz respeito a viver, fazer, experimentar. Diz respeito aos desafios, aos altos e baixos, aos sucessos e aos fracassos. Nós, humanos, podemos nos concentrar de tal maneira em gerenciar o que está acontecendo dentro de nós que podemos perder de vista o que é realmente importante, mas todos podemos escolher como viver. Não há nada errado em atingir e manter um peso saudável. Na realidade, essa é uma maneira maravilhosa de cuidar de si mesmo e promover uma vida saudável e dinâmica. Mas quando a perda de peso envolve consertar uma coisa que está errada dentro de você, ela se torna uma programação impraticável. Se isso aconteceu, mesmo que em um grau modesto, você precisa de outra maneira de abordar o emagrecimento que possa ajudá-lo a seguir adiante de uma maneira sustentável e duradoura. Mas, antes de avançar, é importante dar uma boa olhada na maneira como você se relaciona com a comida.

Preciso de conserto, me alimente

É impossível evitar a comida na nossa cultura. Ela é a base tanto das celebrações quanto das ocasiões tristes. Ela combina bem com a diversão. Ela parece ser uma parte importante das reuniões sociais e também de apenas ficar em casa. Se você tiver filhos adolescentes, ela talvez seja a única coisa capaz de fazê-los passar algum tempo ao seu lado. Sendo assim, não é de surpreender que a maioria de nós perca de vista o propósito fundamental do ato de comer: a nutrição.

A comida é um meio para alcançar um objetivo. Ela nos fornece a energia que possibilita fazermos coisas na vida. No entanto, às vezes a comida se torna um substituto de viver, o que nos conduz ao mito seguinte.

6º Mito: *você come porque está com fome.*

Poucos de nós comem apenas para saciar a fome. Se a nutrição fosse o motivo pelo qual comemos, poucas pessoas comeriam hambúrgueres. Em vez disso nos empanturraríamos de comidas saudáveis que alimentam o nosso corpo de maneira ideal. Mas, na realidade, as pessoas usam a comida por uma infinidade de razões. Por exemplo, se você não gosta do modo como está se sentindo neste momento, uma maneira fácil de mudar isso é comer e vivenciar uma resposta fisiológica de prazer, especialmente se você escolher alimentos doces, gordurosos ou salgados: batata frita, pizza, hambúrguer, bolo, *cookies*, sorvete – coisas gostosas. Você pode fazer isso agora... e daqui a dez minutos... e uma hora mais tarde. A comida está sempre presente. Alguns locais que servem *fast-food* ficam abertos a noite inteira apenas para garantir que um desejo não deixe de ser satisfeito. (Isso não é legal da parte deles?)

Pense a respeito disso à luz da armadilha do preciso de conserto: se você não gosta do que está acontecendo dentro de você – de como você está se sentindo ou do que você está pensando –, comer pode oferecer consolo ou alívio. Isso às vezes é chamado de comida emocional. Você já se voltou para a comida quando se sentiu estressado? Os alimentos doces, salgados e gordurosos ativam as áreas de prazer do cérebro. Isso ajuda a aliviar não apenas o estresse, mas também a ansiedade, a tristeza, o tédio, a vergonha, a frustração e, algumas vezes, até mesmo a raiva. Quando você se sente insatisfeito, a comida pode ajudá-lo a se sentir melhor no momento. A comida alcança resultados.

No entanto, como você provavelmente sabe muito bem, embora a comida o faça se sentir bem no curto prazo, nem sempre ela é boa no longo prazo. Você logo pode se sentir culpado – talvez até mesmo enquanto estiver comendo – e começar a vivenciar ainda mais a emoção que está tentando evitar, criticando-se severamente por causa disso. No longo prazo, você poderá engordar, desenvolver sintomas físicos e assim por diante. O esforço de consertar o que está acontecendo em seu interior tende a tornar as coisas ainda piores à frente; e quanto mais você fizer isso, piores elas se tornarão com o decorrer do tempo.

Nós o encorajamos aqui a praticar um pouco de autocompaixão. É natural querer se sentir melhor. Tendo em vista a disponibilidade de alimentos doces, salgados e com elevado teor de gordura, não causa surpresa o fato de as pessoas recorrerem a eles com tanta frequência. O fato de fazer isso não significa que haja alguma coisa errada com você. Você é simplesmente humano. Todos nós lutamos contra pensamentos e sentimentos indesejados. Muitos de nós usamos a comida para fazer isso – às vezes um pouco, às vezes muito. Reconhecer que essa luta é natural e normal é um importante primeiro passo.

A fim de mudar o seu relacionamento com a comida, é preciso entender como ela funciona para você. Se estiver usando a comida para influenciar a maneira como pensa ou se sente (menos tristeza, mais alegria!), você provavelmente se encontra na armadilha do preciso de conserto. Isso deve ser um sinal de perigo. Deixar de usar a comida para influenciar o seu estado emocional e passar a usá-la basicamente para a nutrição requer adotar uma abordagem diferente dos seus pensamentos e sentimentos e também da vida. O que mais queremos ajudá-lo a fazer é criar uma vida que seja dinâmica, significativa e gratificante. Se você conseguir fazer isso, a comida passará a estar a serviço dessa vida, em vez de ser um substituto para ela.

Odiando-se para ficar magro

Se você pensar no que desencadeou a maioria das suas dietas, é provável que encontre várias formas da armadilha do preciso de conserto. Você talvez tenha olhado criticamente para si mesmo no espelho ou agarrado a protuberância em volta da sua cintura e, repugnado, se condenado a uma dieta radical. O desprezo por si mesmo pode ser uma forma eficaz de motivação para efetuar mudanças radicais no comportamento, mas essas mudanças são quase sempre efêmeras, e essa abordagem pode ser prejudicial. Punir a si mesmo dessa maneira tem a probabilidade de fazer você se sentir pior e também exaure sua vitalidade. Isso nos conduz ao último mito que vamos abordar.

7º Mito: *quanto mais desgostoso estiver consigo mesmo, mais motivado você estará para mudar.*
Embora possa parecer que uma dura autocrítica o motivará para a mudança, o oposto frequentemente é válido. Para as pessoas que lutam contra o peso, o desgosto e a autocrítica frequentemente as levam a se alimentar de uma maneira emocional (Puhl e Heuer, 2009). Contudo, enquanto dizemos isso, você ainda pode ter a ideia de que há algo errado com

você e pode acreditar nessa ideia ou até mesmo se identificar com ela. Isso é aceitável. Entenda que a sua mente nunca deixará de produzir esses pensamentos – e que você pode escolher como reagir a eles. Tratar a si mesmo com desprezo ou aversão não o ajudará a seguir em frente de uma maneira sustentável. Você não pode ficar magro odiando a si mesmo. Na verdade, esse tipo de motivação atrapalha as mudanças, pois o faz voltar à armadilha do preciso de conserto.

Passe alguns momentos pensando no seu amigo, aquele a quem você deu conselhos sobre a perda de peso no início deste capítulo. Digamos que ele tenha conseguido emagrecer mas tenha sido incapaz de manter o novo peso. Há algo errado com o seu amigo? Ele tem algum defeito? Ele precisa ser consertado de uma maneira fundamental para ser um ser humano sadio e completo? Mesmo que nada relacionado com o peso do seu amigo tenha mudado, você continua a dar valor a ele? As respostas para essas perguntas podem parecer óbvias, mas quando você faz as mesmas perguntas a seu respeito, é provável que você receba respostas muito diferentes. Por ora, apenas registre essa ideia e imagine que pode haver espaço para um pouco mais de autocompaixão.

O caminho à frente

Como você agora já sabe muito bem, nós não achamos que a resposta resida em um foco restrito sobre o peso. Estamos completamente seguros de que não se trata apenas de uma questão de tentar de modo mais árduo usando as mesmas velhas estratégias. E sabemos que não existe nada fundamentalmente errado com você como pessoa. Acreditamos que você pode alcançar o que deseja do ponto de vista da perda de peso ao mesmo tempo em que também melhora a sua vida de modo amplo. Para fazer isso, você precisa adotar uma perspectiva inteiramente diferente do que a perda de peso significa, e nós vamos ajudá-lo a adquirir essa perspectiva.

Grande parte da abordagem deste livro diz respeito a escapar da armadilha do preciso de conserto. Vamos ajudá-lo a mudar a maneira como você se relaciona com as emoções, os pensamentos, as sensações corporais, as memórias e os anseios para que o seu comportamento não se concentre tanto em mudar essas coisas e se volte mais para viver a vida que deseja – não depois de emagrecer, e sim *neste momento*. Vamos ampliar o seu horizonte para além da perda de peso e ajudá-lo a descobrir como você deseja viver em todas as áreas da vida. E vamos lhe mostrar como as novas habilidades que você vai adquirir também podem ser aplicadas ao desafio de desenvolver hábitos saudáveis e, em última análise, de emagrecer e manter o novo peso.

Para fazer isso, você precisa empreender uma jornada. Você tem de observar o que está fazendo não apenas em relação a comida e exercício, mas também a seus relacionamentos e seu trabalho. Vamos orientá-lo a esclarecer as coisas com as quais você se importa profundamente, a como você deseja ser e a como viver de uma maneira saudável o tornará mais forte para buscar uma vida que envolva muito mais do que lidar com problemas sobre seu modo de pensar e sentir. Essencialmente, você precisa mudar a maneira como se relaciona com o que acontece dentro de você, abandonando o esforço inútil de controlar os pensamentos e sentimentos, a fim de se abrir a todo o leque de experiências humanas e ao seu próprio potencial. Isso pode parecer desafiante, mas nós o ajudaremos a reunir tudo em um plano de ação e a definir um novo rumo.

A terapia de aceitação e compromisso

A fim de ajudá-lo a tornar-se apto para seguir um novo rumo – uma trajetória de vida compassiva e saudável – utilizamos as técnicas empiricamente testadas da ACT, uma nova forma de terapia cognitivo-comportamental. (A terapia cognitivo-comportamental é a forma de psicoterapia mais amplamente praticada e cientificamente correta.) Não se deixe amedrontar pela parte da "terapia"; essas técnicas também foram usadas de várias maneiras fora da terapia para ajudar pessoas a mudar o seu comportamento, melhorar a qualidade de vida e aumentar a produtividade.

Em resumo, a ACT parte do princípio de que a dor psicológica (como a causada por pensamentos e emoções indesejados) é uma experiência humana normal. Embora o nosso instinto seja o de lutar contra essas experiências e tentar mudar a maneira como pensamos e sentimos, isso nem sempre funciona e não raro nos faz sofrer mais, especialmente quando começamos a fazer um grande esforço para evitar ou mudar certos pensamentos e sentimentos. A ACT ensina as pessoas a desistir da luta contra os pensamentos e sentimentos – por exemplo, abandonar a armadilha do preciso de conserto – e se concentrar mais em viver bem, em contraste com apenas se sentir bem.

Suponhamos que, em vez de tentar fazer com que um forte anseio vá embora, você conseguisse observá-lo com curiosidade, procurasse vivenciá-lo mais plenamente sem ceder a ele e continuasse a cumprir as suas metas saudáveis. Suponhamos que, em vez de tentar mudar a maneira como a sua mente avalia o seu corpo, você conseguisse deixar que ela dissesse o que bem entendesse (*Você é gordo e feio!*), observasse as críticas apenas como pensamentos transitórios, e não como fatos, e continuasse a buscar coisas que importam, como relacionamentos mais gratificantes. Suponhamos que, em vez de afastar as emoções dolorosas como a tristeza e tentar evitá-las, você fosse capaz de se abrir para elas, respeitá-las como parte das suas experiências, abrir espaço para elas como emoções humanas naturais e as levar com você enquanto faz escolhas alimentares saudáveis. Esses são exemplos do que chamamos de flexibilidade psicológica: fazer as coisas que são importantes mesmo na presença de obstáculos psicológicos.

A ACT promove a flexibilidade psicológica por meio da atenção plena, da aceitação e do esclarecimento de valores. A atenção plena o ajuda a interagir consigo mesmo e com o que quer que esteja acontecendo no momento. A aceitação possibilita que você se liberte de pensamentos improdutivos e abandone o esforço de evitar emoções e pensamentos incômodos. E o esclarecimento de valores revela o que é profunda e verdadeiramente importante para você e qual a melhor maneira de buscar isso na sua vida. Você vai adquirir habilidades nessas três áreas no restante do livro.

Resumo

Fomos todos convencidos da seguinte história: se você tem excesso de peso, há algo errado com você. É preciso consertar isso perdendo peso, e, ao conseguir isso, você será feliz e terá uma vida melhor. Você faz isso concentrando-se apenas no seu peso, tornando-se restritivo e extremamente alerta com relação à comida, fazendo muitos exercícios para queimar calorias e colocando esse estilo de vida na frente de outras prioridades.

Embora essa prática dê certo para muitas pessoas a curto prazo, ela funciona para muito poucas a longo prazo. Este livro apresenta uma perspectiva radicalmente diferente. Em vez de nos concentrarmos só na tarefa de perder peso, vamos pedir que examine a sua vida de uma maneira mais ampla e faça importantes mudanças na maneira como você trabalha, se diverte e se relaciona com as pessoas. Queremos ajudá-lo a dedicar a sua energia a viver a vida de uma maneira plena e consciente, em vez de travar uma guerra contra o excesso de peso e todos os pensamentos e sentimentos indesejados que você tem a respeito do seu peso. Queremos ajudá-lo a parar de procurar soluções temporárias para alterar os seus hábitos alimentares e, em vez disso, a examinar e mudar de modo radical o seu relacionamento com a comida.

Vamos ajudá-lo a assumir uma posição compassiva com relação a si mesmo por meio do desenvolvimento de mais atenção plena e aceitação e do esclarecimento de seus valores. Vamos ajudá-lo também a reconhecer, respeitar e abrir espaço para todo o leque de pensamentos e sentimentos humanos e sensações físicas, ao mesmo tempo em que desafia a si mesmo a tomar medidas que lhe permitam viver uma vida mais dinâmica e satisfatória.

Você está pronto para começar a se concentrar na sua vida como um todo e no que é profundamente importante para você, em vez de focalizar apenas o seu peso? Você está pronto para se abrir a parte da sua dor emocional atual e passada e começar a viver a vida de uma maneira mais ousada, voltada à obtenção do que você deseja na vida *e* ao controle do seu peso? Esperamos que a sua resposta seja sim. Se esse não for o caso, isso é aceitável. Não existe um cronograma para responder sim a essas perguntas. Você tem a liberdade de fazer esta escolha enquanto avança na leitura deste livro. De qualquer modo, vamos iniciar juntos a jornada.

Capítulo 2

A perda de peso com autocompaixão

A primeira vez que Dana se lembra de ter sentido aversão e vergonha com relação ao seu corpo foi quando ela tinha 7 anos, no consultório do médico. A sua mãe tinha tirado o seu vestido, e o médico beliscava a sua pele e balançava a cabeça. A partir desse momento, Dana passou a ter a impressão de que todos a tratavam como se ela tivesse algum tipo de problema. Não importa o quanto ela pesasse ou qual fosse a sua aparência, ela não gostava do que via no espelho. Embora Dana namorasse, ela sentia que a maioria dos rapazes com quem saía estavam interessados em outras meninas. Quando era adolescente, Dana acreditava que para ter relacionamentos ela teria de passar fome, mas isso nunca parecia funcionar. Ela passava fome o dia inteiro, mas quando chegava em casa comia descontroladamente. Esse padrão de passar fome e comer demais continuou durante anos.

Dana se casou e conseguiu ficar em forma para o casamento, mas pouco depois perdeu novamente o controle da situação. O marido dela começou a fazer comentários a respeito do seu peso, o que desencadeou sentimentos de vergonha. Ela tentou compensar isso agindo de uma maneira meiga e agradável mesmo sem sentir vontade de fazer isso. Quanto mais ela fingia, pior ela se sentia a respeito de si mesma e mais ela comia. Dana nunca saía de casa para fazer exercício ou mesmo para se socializar. Ela chegou à conclusão de que precisava emagrecer primeiro, antes de poder começar a viver do jeito que queria.

A história de Dana pode ser semelhante à sua ou pode ser muito diferente. Os detalhes não são tão importantes quanto a dinâmica global: Dana caiu em uma armadilha do preciso de conserto. Ela sabia que estava comendo demais, fazendo escolhas alimentares pouco saudáveis e usando a comida para combater sentimentos. Como resposta, ela se condenou duramente a rígidas mudanças de comportamento que não eram projetadas para melhorar a sua vida, e sim para corrigir a dor emocional e a autocrítica que ela vivenciava. Quanto mais ela se empenhava em consertar a si mesma, menos dinâmica e satisfatória a sua vida se tornava.

Estigma – o desestimulador

As pessoas com excesso de peso e obesas são frequentemente ridicularizadas e, às vezes, sofrem imediata discriminação. A nossa cultura parece acreditar que as pessoas estão acima do peso por culpa delas; e, além disso, que é aceitável caçoar delas porque isso poderá motivá-las a perder peso. Rebecca Puhl, psicóloga da Universidade Yale, contestou essa ideia em uma série de pesquisas contínuas.

Em um dos estudos, ela convidou mulheres, tanto com excesso de peso quanto com um peso saudável, para assistir a um vídeo, supostamente para avaliar o quanto elas gostavam de novos programas de televisão (elas não conheciam o verdadeiro propósito do estudo). Metade das mulheres assistiu a um vídeo neutro, e a outra metade assistiu a um vídeo que retratava uma mulher que estava acima do peso de uma maneira depreciativa. Depois disso, as mulheres receberam uma série de questionários e tiveram acesso a um bufê. Curiosamente, as mulheres com um peso saudável comeram a mesma quantidade de comida independentemente do vídeo ao qual tinham assistido, enquanto as mulheres com excesso de peso ingeriram três vezes mais calorias depois de assistir ao vídeo depreciativo (Schvey, Puhl e Brownell, 2011). A mera exposição à zombaria por causa do peso foi suficiente para levar essas mulheres a comer em excesso, embora o alvo fosse outra pessoa. Isso contraria frontalmente a noção popular de que "fazer com que as pessoas com excesso de peso se sintam constrangidas" motivará a perda de peso.

Puhl conduziu uma série de outros estudos que mostram basicamente a mesma coisa: a caçoada, a zombaria e a discriminação não motivam as pessoas a emagrecer; essas atitudes dificultam o emagrecimento e, na realidade, encorajam o aumento de peso (Puhl e Heuer, 2009).

Como a maioria das pessoas, você provavelmente começou o seu esforço para perder peso a partir da aversão por si mesmo. Você talvez tenha se olhado no espelho, detestado o que viu e decidido que precisava fazer alguma coisa a respeito daquilo. Isso é bastante normal. Todos ficamos desgostosos com nós mesmos de tempos em tempos, e a forma do corpo é um alvo fácil para a mente crítica. No entanto, emagrecer apenas a fim de mudar ou se livrar de pensamentos e sentimentos de aversão é uma clássica armadilha do preciso de conserto: *perder peso vai consertar o que está acontecendo dentro de mim. Devo usar os pensamentos e sentimentos negativos como motivação.*

No entanto, como foi discutido no Capítulo 1, você não pode ficar magro odiando a si mesmo. E, além de isso ser ineficaz, essa é uma maneira realmente desagradável de viver. Se você já tentou punir a si mesmo dessa forma, provavelmente descobriu que isso não apenas resultou em rápidas mudanças de comportamento que não duraram muito, como também adicionou sentimentos de vergonha, inadequação ou desgosto. Em outras palavras, tornou a aversão por si mesmo mais forte ao adicionar mais avaliações de fracasso. A fim de ter êxito a longo prazo, você precisa construir uma base em algo mais estável e vital. Você precisa apoiá-la na autocompaixão.

A abordagem da mudança da ACT

A armadilha do preciso de conserto é uma postura que diz o seguinte: "Não sou digno, não sou completo, não tenho valor". Em um sentido mais profundo, cada um de nós é muito mais do que a soma das nossas partes, mas temos a tendência de focalizar as partes e, em especial, as que precisam ser corrigidas.

Acreditamos que se você deseja mudar a sua vida, a melhor maneira de fazer isso é começar com a aceitação radical de si mesmo, aqui e agora. Se você tiver de assimilar apenas uma mensagem deste livro, esperamos que ela seja tratar a si mesmo com bondade amorosa.

Temos três objetivos principais neste capítulo: ajudá-lo a enxergar os efeitos de se motivar por intermédio da aversão por si mesmo, ajudá-lo a se conectar a uma noção do eu que promova a autocompaixão e oferecer orientação sobre como agir com autocompaixão. Queremos que você aborde a mudança com propósito, interesse e bondade, em vez de se recriminar para mudar. Uma vez que você consiga enxergar e sentir a diferença entre essas abordagens, começará a descobrir um novo caminho à frente tanto na perda de peso quanto na vida.

Pode parecer que estamos nos desviando da nossa meta principal, que é promover uma vida saudável. Se isso o preocupa, veja se consegue abrir espaço para a experiência de não saber para onde tudo isto o levará ou como começará a dar certo e simplesmente mergulhe na experiência.

EXERCÍCIO
▷▷ Investigando a aversão por si mesmo, a inimiga da autocompaixão

Gostaríamos de lhe pedir para passar algum tempo investigando por que é tão difícil demonstrar compaixão por si mesmo. Relacione o seguinte no seu diário: três coisas de que você não gosta a respeito de si mesmo e duas coisas que tornariam a sua vida melhor. Vá em frente e faça isso agora.

❊ ❊ ❊

Apostamos que você foi capaz de escrever rapidamente o que pedimos. E, se pedíssemos que descrevesse outras coisas semelhantes, a sua mente de bom grado o ajudaria. (Puxa, muito obrigado, mente.) Vamos poupá-lo dos detalhes científicos, mas a mente humana tem a tendência de criar detalhes autodepreciativos de inadequação. Isso é natural e normal. Todos nos concentramos em coisas de que não gostamos a nosso respeito, memórias dolorosas ou ocasiões em que fracassamos ou ficamos constrangidos. Do mesmo modo, todos nós imaginamos desfrutar circunstâncias melhores do que as atuais, como ter uma aparência diferente, mais dinheiro, um emprego melhor, amigos mais interessantes, uma vida amorosa mais satisfatória ou realizações de grande valor.

Nós, humanos, podemos nos concentrar nos aspectos negativos e sonhar com alternativas a ponto de mal conseguirmos pensar em algo que nos agrade a respeito de nós mesmos e das nossas circunstâncias. É por esse motivo que nenhuma quantia em dinheiro, por mais elevada que seja, pode garantir a felicidade, e até mesmo as pessoas mais bonitas do mundo podem estar desgostosas com o próprio corpo. Se você tiver um animal de estimação, talvez compreenda que os animais não ficam sentados o dia inteiro julgando o próprio corpo ou pensando em como a vida poderia ser muito melhor. (Mesmo assim, existem psiquiatras de animais!) Essa é uma atitude exclusivamente humana.

EXERCÍCIO
▷▷ **Relacione as suas tentativas de perder peso**

Escreva o título "Minhas tentativas de perder peso" no seu diário. Embaixo dele, relacione todos os programas de perda de peso que você experimentou. Enquanto fizer isso, veja se consegue identificar as razões específicas que o levaram a começar cada programa e assinale qualquer tentativa que você tenha feito, pelo menos em parte, baseada na aversão por si mesmo. Em outras palavras, se você olhou um dia para o espelho e pensou *sou repulsivo, preciso fazer alguma coisa*, esse é um exemplo de motivação baseada na aversão por si mesmo. Se você já fez dieta por sentir vergonha do seu peso, por perceber que os outros o criticavam ou por achar que precisava demonstrar que alguém ou você mesmo estava errado, esses são exemplos de iniciativas baseadas na aversão por si mesmo.

※ ※ ※

Sem dúvida, todos nós queremos nos sentir melhor, mais atraentes, mais sexy e mais confiantes. E o nosso instinto é tentar alcançar isso mudando os nossos pensamentos e sentimentos. Isso é natural. A autocompaixão envolve reconhecer esse instinto e respeitá-lo, sabendo que você é humano, assim como todas as outras pessoas, e reconhecendo ao mesmo tempo que é exatamente esse instinto que o está impedindo de chegar aonde você deseja na vida. Cair na armadilha do preciso de conserto faz com que você entre em um ciclo interminável de luta contra a sua experiência interior. Em vez disso, você precisa de uma base forte e estável a partir da qual possa agir com determinação.

O seu eu permanente

Quem é você? Estamos nos referindo a quem você é em um sentido muito profundo. Poderíamos também perguntar o que você é ou o que o define. Você poderia passar horas, dias e até mesmo anos pensando a respeito dessa pergunta e nunca chegar a uma resposta definitiva. (Na realidade, alguns filósofos fizeram exatamente isso. Como eles conseguiam pagar as contas?)

Tipicamente, as pessoas começam a responder a essas perguntas relacionando atributos, como gênero, raça, etnia, idade, altura e peso; papéis como pai, mãe, filho, filha, amigo, trabalhador ou amante; características observáveis como inteligente, forte, emocional ou feliz; e aspectos psicológicos como convicções, sonhos, desejos, valores, conflitos e assim por diante. No entanto, cada conceito ou característica é apenas um fragmento do todo.

O exercício que se segue (inspirado, em parte, em Hayes, Strosahl e Wilson, 1999) o ajudará a começar a descobrir uma noção do eu que não é definida pelas suas partes. Chamamos essa noção do eu de "o seu eu permanente".

EXERCÍCIO
▷▷ **Investigando o seu eu permanente**

Comece uma nova seção no seu diário intitulada "O meu eu permanente". Em seguida, recorde alguma coisa que tenha vivenciado no ano passado, de preferência algo neutro. Quando tiver alguma coisa em mente, escreva a respeito dela, descrevendo o que aconteceu, quem estava presente, o que você viu e ouviu e tudo o que assimilou por intermédio dos sentidos. Forneça o maior número possível de detalhes. Descreva também pensamentos que teve, emoções que sentiu e assim por diante. Novamente, seja bem detalhado. Dedique pelo menos alguns minutos a essa tarefa.

※ ※ ※

Ao terminar, reflita sobre as seguinte perguntas: quem viu o que você viu? Quem sentiu as emoções que você sentiu e pensou o que você pensou? Quem sentiu o cheiro do que você cheirou e tocou o que você tocou? E quem observou tudo o que aconteceu naquele momento? Você, é claro, mas qual você? A pessoa alta, o pai ou a mãe, a pessoa inteligente? Não pode ser.

Em um sentido mais profundo, há um eu que estava lá na ocasião, assim como você está aqui agora. Conecte-se com isso. Você estava lá e está aqui agora. Você observou todas as coisas que aconteceram, as presenciou e vivenciou. Você esteve lá o tempo todo. Embora muitas coisas na sua vida tenham mudado depois daquele momento do ano passado, em um sentido profundo o seu eu é o mesmo "eu" que estava lá naquela ocasião. A parte de você que continua, inalterada, é o que chamamos de o seu eu permanente.

Agora pense em alguma coisa que aconteceu na sua infância. Quando tiver algo em mente, escreva a respeito dela da mesma maneira: o que ocorreu, quem estava presente, tudo o que você assimilou por meio dos sentidos, bem como os seus pensamentos e sentimentos. Novamente, forneça o máximo possível de detalhes e passe pelo menos alguns minutos fazendo isso.

✻ ✻ ✻

Veja agora se é capaz de notar que o seu eu permanente estava presente na ocasião, exatamente como está aqui agora. Em um sentido profundo, você foi você a sua vida inteira. Essa sua essência, o seu eu permanente, estava presente para testemunhar tudo o que aconteceu a você quando criança, tudo o que você fez, sentiu, pensou, viu, ouviu, cheirou, tocou e saboreou. O seu eu permanente estava lá, experimentando tudo, e, no entanto, em certo sentido, ele permaneceu completamente inalterado por essas experiências. Você estava lá na ocasião e está aqui agora. Embora aspectos seus e do seu comportamento tenham mudado, o seu eu permanente continua, examinando, observando e vivenciando tudo o que examina, observa e vivencia.

Pense agora em uma ocasião em que você tenha sentido uma dor emocional de alguma maneira relacionada com o seu peso, em qualquer época da sua vida. Uma vez mais, escreva no seu diário uma descrição detalhada do que aconteceu, de quem estava presente, de tudo o que você assimilou por intermédio dos sentidos e também dos seus pensamentos e sentimentos. Passe pelo menos alguns minutos escrevendo a respeito disso.

✳ ✳ ✳

Repare agora que o tempo passou e o seu corpo mudou. Você estava lá na ocasião e está aqui agora. Você pode pesar mais ou menos, mas o seu eu permanente continua o mesmo. O seu mesmo eu estava lá durante esse incidente, sentindo o que você sentiu, pensando o que você pensou, vendo o que você viu. O seu eu permanente estava lá durante o momento doloroso que você acaba de descrever, na sua infância e também há um ano, e ainda está aqui. Você tem sido você a vida inteira. E, ao longo de tudo, de toda a alegria, da dor, do crescimento, das doenças e mudanças, você continua a ser você.

Trace uma linha do tempo no seu diário e preencha alguns dos principais momentos da sua vida. Crie uma representação visual e sequencial de algumas das suas principais mudanças e realizações. Passe algum tempo completando a sua linha do tempo.

✳ ✳ ✳

Agora, examine a linha do tempo e veja se consegue se conectar com o fato de que, de uma maneira fundamental, você acompanhou cada etapa da jornada, vivenciando tudo. O seu eu permanente estava presente o tempo todo, testemunhando tudo, mesmo enquanto aspectos seus mudavam de modo radical.

O seu eu permanente não precisa de conserto

A palavra "permanente" significa perene e durável. O seu eu permanente por certo é perene, uma vez que esteve presente a sua vida inteira, e também é durável, pois permaneceu inalterado independentemente do que aconteceu a você, capaz de observar, testemunhar e vivenciar, de forma contínua, tudo o que você está vivenciando agora enquanto lê este livro. Repetindo, isso não significa que suas atitudes e convicções, seus pensamentos, sentimentos e comportamento não tenham mudado. Na realidade, eles devem ter mudado – e com bastante frequência. Entretanto, durante todo esse tempo, há uma essência sua que é estável e permanente, não importa o que aconteça.

Isso pode ser reconfortante. Ao longo de tudo, não importa o que aconteça, uma parte sua – o seu eu permanente – continua intacto, constante e estável. Nenhum peso que você ganhe pode mudar o seu eu permanente. Nenhuma experiência emocional, nem as críticas de que você seja alvo ou uma autoavaliação podem mudá-lo. Não importa o que aconteça, o seu eu permanente ainda estará presente, vendo tudo o que você vê, vivenciando tudo o que você vivencia e amparando-o.

Com base nessa perspectiva, a agenda preciso de conserto se torna menos importante. Se, em um sentido profundo, você é muito mais do que os seus sentimentos e pensamentos, eles talvez não precisem ser de uma certa maneira para que você viva a sua vida como você quer. Talvez eles não precisem ser consertados para que você seja fundamentalmente aceitável e tenha valor como pessoa.

Pense no seu corpo. Ele mudou muito. Você foi um minúsculo bebê e hoje está completamente amadurecido.

O seu peso mudou; na realidade, ele muda ligeiramente a cada segundo que você está vivo. Por vezes você foi maior, por vezes, menor. E no entanto, em um sentido profundo, o seu eu permanente não mudou. Você diria que quando era menor você não era você? É claro que não. Você foi você a vida inteira. Essa continuidade é o seu eu permanente.

As células dentro do seu corpo estão morrendo e se regenerando de modo constante. Quase todas as células com que você nasceu estão mortas. As células adiposas, em particular, morrem e se regeneram com muita rapidez. Praticamente todas as células adiposas que havia no seu corpo há dez anos não existem mais. Por conseguinte, embora tenha um corpo com células, órgãos, fluidos e assim por diante, você não pode ser simplesmente o seu corpo. Você é algo mais do que isso – algo estável e permanente.

Procure identificar algo que esteja sentindo neste momento, mesmo que esse sentimento seja apenas satisfação, tédio ou curiosidade. Seja qual for esse sentimento, é a primeira vez que você o está tendo? Provavelmente não. Pense nas outras vezes em que sentiu a mesma coisa. Seja mais específico e identifique dois ou três casos.

Os sentimentos são transitórios; eles vêm e vão embora. Às vezes você está triste, outras vezes, feliz, às vezes, entediado, outras vezes, estressado, às vezes, contente, outras vezes, curioso, às vezes, ansioso, outras vezes, se sentindo culpado, e assim por diante. Portanto, embora vivencie sentimentos, você precisa ser muito mais do que apenas os seus sentimentos. Em determinado sentido, o seu eu permanente tem estado presente o tempo todo, sentindo tudo o que você sentiu, como as emoções que vêm e vão embora. Ele presenciou e vivenciou todos os seus sentimentos e, no entanto, de uma maneira fundamental, ele permanece não alterado por eles. Afinal de contas você não é mais "você" agora do que era no passado.

Identifique uma convicção que você tenha hoje que não tinha quando era mais jovem. Quando a convicção mudou, você se tornou uma pessoa diferente? Claro que não. Portanto, embora tenha sentimentos, pensamentos, convicções e sensações, você não pode ser simplesmente os seus sentimentos, pensamentos, convicções e sensações. A sua essência é muito mais do que essas experiências.

É como se todas essas experiências fossem o conteúdo da sua vida, e você, o eu permanente, fosse o receptáculo. Você contém todas as suas experiências e sempre tem espaço para outras. Você está intimamente em contato com todas as suas experiências e, no entanto, é algo mais do que elas. O receptáculo não é afetado pelas mudanças e os altos e baixos e continuará a estar presente, contendo tudo, enquanto estiver vivo.

EXERCÍCIO
▷▷ Visualize o seu eu permanente

Passe algum tempo imaginando como é o seu receptáculo. Em seguida, faça um desenho dele no seu diário. Talvez seja interessante fazer o desenho sobre duas páginas para ter mais espaço. Nesse receptáculo, represente algumas das experiências da sua vida. Você pode, por exemplo, retratar pensamentos, sentimentos, memórias, papéis, atributos, experiências – qualquer coisa que queira. Represente-as como objetos de vários tamanhos. Ao fazer isso, note que, independentemente do que você coloque dentro, o receptáculo continua o mesmo. Vá em frente e faça o desenho agora.

Se a sua essência, o seu eu permanente, é o receptáculo, você não precisa se envolver tanto com o que aparece dentro dele. Esse receptáculo é grande o bastante, e o seu eu permanente, forte o suficiente para conter tudo. Você também poderá notar uma diferença entre você e o que você contém. Em outras palavras, existe você e existem as coisas que você vivencia. As coisas vêm e vão embora. Você perdura.

É como uma tela de cinema. Vários filmes são alternadamente projetados sobre ela: comédias, dramas, documentários, filmes românticos, de terror, de aventura e assim por diante. Enquanto os filmes passam, você talvez note oscilações emocionais radicais e pensamentos que vêm, vão embora e ricocheteiam por toda parte. Depois de um filme realmente aterrorizante, você pode ficar apavorado; depois de uma tragédia, arrasado. Os filmes mudam, repetidamente. Repare que, enquanto isso acontece, a tela permanece a mesma. Você é a tela – o contexto no qual todo o drama, a alegria, a comédia e o medo se desenrolam. Ao longo de tudo isso, o seu eu permanente continua constante, sempre presenciando tudo o que está acontecendo, porém, de uma maneira profunda, prossegue inalterado, estável, firme, perpétuo e confiável.

O que é autocompaixão?

Ao adotar a perspectiva do eu permanente, você talvez tenha mais facilidade em tratar a si mesmo com autocompaixão. Você poderá ser capaz de reconhecer que você é, na realidade, completo e tem valor exatamente como você é. As coisas interiores que você vem combatendo não são você, de modo que pode respeitá-las como sendo simplesmente uma parcela da sua experiência. Essa é uma parte importante da autocompaixão.

Uma maneira eficaz de começar a praticar a autocompaixão é tratar a si mesmo com bondade amorosa: ser carinhoso e atencioso consigo mesmo, especialmente quando estiver sofrendo. Isso talvez pareça simples, mas pode ser difícil de fazer. Envolve reparar quando os pensamentos críticos estão presentes e você sente o impulso de se recriminar e, em vez disso, agir com bondade. Pense em tratar a si mesmo como você trataria uma pessoa querida que estivesse com dificuldades.

Outro segredo da autocompaixão é se abrir para a sua dor. Você pode ter um sem-número de pensamentos, sentimentos e memórias relacionados com o fato de estar acima do peso. Ter autocompaixão envolve estar mais consciente do que está acontecendo dentro de você, ficar mais tocado pelo seu próprio sofrimento e demonstrar empatia por você mesmo e pela sua história. É mais fácil fazer isso quando você adota a perspectiva do eu permanente. Essas experiências são a substância da sua vida, e o seu eu permanente é espaçoso o bastante para conter toda ela e ainda assim seguir em frente.

Um último segredo da autocompaixão diz respeito a se comportar de um modo que seja importante para você. Uma das melhores maneiras de praticar a autocompaixão é fazer coisas que para você valem a pena: dedicar-se a atividades estimulantes e dinâmicas, buscar e promover a conexão com os outros, cuidar de si mesmo física e emocionalmente – o que quer que seja importante para você.

Os dois próximos exercícios o ajudarão a desenvolver a autocompaixão. O primeiro promove a gratidão pelo seu corpo. O segundo é uma maneira de investigar os seus valores e como você deseja viver a sua vida.

EXERCÍCIO
▷▷ Ofereça gratidão ao seu corpo

Leia este exercício do começo ao fim antes de fazê-lo e vá para um lugar tranquilo onde você possa realizá-lo sem ser perturbado.

    Passe um minuto entrando em contato consigo mesmo. Repare como você está sentado e qual a sensação que isso lhe transmite. Fique presente consigo mesmo e observe como o seu corpo cuida de você. Ele parece saber exatamente do que você necessita e tenta proporcionar o que você precisa para ficar mais equilibrado. Veja se consegue apenas notar a sabedoria do seu corpo – o fato de que, o que quer que você faça, independentemente de como você se comporte, o seu corpo aceita as coisas do jeito que elas são e faz o melhor que pode para criar um equilíbrio saudável.

    Veja se você consegue observar o seu batimento cardíaco, talvez colocando a mão delicadamente no lado esquerdo do peito. Imagine como o seu coração esteve com você desde o início e como ele o serviu, dia e noite, ao longo de todos os seus anos de vida. O seu coração bombeou mais sangue quando você precisou correr ou subir escadas e bombeou menos sangue quando você ficou sentado, em repouso. O seu coração nunca o julgou duramente; em vez disso, ele o aceitou e o serviu da maneira como você exigiu. Talvez você queira agradecer ao seu coração pela forma imparcial como ele o serve.

    Você consegue sentir o seu estômago ou partes do seu trato digestório? Você talvez sinta esses órgãos funcionando, separando o que você comeu no que o seu corpo pode usar agora, no que precisa ser jogado fora e no que deve ser armazenado para ser usado mais tarde. O seu trato digestório precisa aguentar todas as dietas que você faz, por mais radicais que sejam, e nunca o julgou; na realidade ele tem feito o máximo para "se virar" com o que você lhe fornece. Demonstre ao seu trato digestório que você aprecia a maneira compassiva pela qual ele o vem servindo a vida inteira.

Concentre-se agora em seu cérebro. Ele é um prodígio incrível, composto literalmente por bilhões de neurônios que disparam enquanto ele organiza tudo o que você realiza: fazendo circular os fluidos necessários através do seu corpo, enviando as informações necessárias para que você mova os membros, além de pensar, resolver problemas e assim por diante. Faça uma pausa e expresse gratidão ao seu cérebro. Ele o tem servido da melhor maneira possível e nunca pediu nada em troca. Permita-se observar e reconhecer a enormidade da tarefa que o cérebro recebeu e, enquanto faz isso, veja se consegue demonstrar a ele o quanto você está agradecido por tudo isso.

Agora reserve um momento para vivenciar plenamente que sensações os atos de autocompaixão transmitem para o seu corpo. Passe um minuto simplesmente sentindo a compaixão que você criou antes de voltar à leitura do livro ou se dedicar a outras atividades.

A autocompaixão pode parecer um conceito simples, mas pode ser difícil praticá-la. Você talvez tenha notado, até mesmo neste exercício, que teve dificuldade em demonstrar gratidão pelo seu corpo. Não raro parece muito mais fácil demonstrar empatia e compaixão pelos outros do que por si mesmo. Por sorte, os comportamentos e atitudes envolvidos na compaixão pelos outros são os mesmos que aqueles necessários para a autocompaixão – por exemplo, a escuta ativa, a sensibilidade pelas carências e necessidades e a disposição para agir motivado por esses indícios. O macete é voltar para si mesmo essas habilidades bastante exercitadas.

EXERCÍCIO
▷▷ Crie um memorial para recordações dolorosas

Inicie no seu diário uma seção intitulada "Memorial de recordações". Pense em uma lembrança difícil relacionada com o seu peso. Talvez você tenha sido exposto ao ridículo, discriminado ou passado vergonha por alguma coisa relacionada com o seu peso ou a sua aparência em algum momento da sua vida. Essa recordação é sua, algo que você vivenciou. É um dos itens do seu receptáculo. Escreva brevemente, durante alguns minutos, a respeito do que aconteceu e como você reagiu à situação.

✽ ✽ ✽

Nós, humanos, temos a tendência de querer que as lembranças infelizes desapareçam e fazemos um grande esforço para evitar que elas surjam de repente por medo de precisar examiná-las repetidamente. No entanto, neste exercício, pedimos que você *respeite* essa difícil recordação.

Ao longo de toda a sua vida, você teve muitas experiências que se transformaram em recordações desagradáveis. E no entanto você está aqui hoje; você perdura. Pense no seu receptáculo, com todas as coisas que ele contém, e imagine que existe um memorial em um lugar particular desse receptáculo. Esse memorial específico destina-se a homenagear todas as suas recordações dolorosas e servir como símbolo do fato de que você perdurou por toda a dor. Você continua. Qual seria a aparência desse memorial? Pense em um tipo de memorial que você goste: pode ser uma estátua, uma escultura, uma fonte ou um parque. Depois, no seu diário ou em uma folha de papel, desenhe uma imagem detalhada desse memorial. Como é o cenário? Um campo aberto, um local perto de água ou em um prédio? Imagine agora que você está gravando no memorial a recordação particular relacionada com o peso que você identificou.

O memorial é um objeto que funciona como uma recordação de alguma coisa. Os memoriais geralmente não se destinam a fazer com que nos sintamos felizes; mais exatamente, eles servem para homenagear o passado e manter vivas as lembranças. De tempos em tempos, você passará por esse memorial e homenageará sua jornada e sua perseverança. Em outras ocasiões haverá novas recordações a serem gravadas. Não fazer caso do memorial ou tentar fingir que ele não existe é uma forma de aversão por si mesmo. É como dizer que há algo errado com uma parte da sua história e da recordação que hoje você tem por causa dela. É o oposto da autocompaixão.

Então, como você homenageia essa lembrança? Você pode começar reconhecendo que ela aconteceu e o que quer que tenha feito como reação a ela foi o que você foi capaz de fazer na ocasião. Permita-se fazer as pazes com essa recordação. O tempo passou, e você perdura. Reconheça que é aceitável sentir o que você sente e abra-se plenamente para esse sentimento com o conhecimento de que o eu permanente é capaz de lidar com qualquer coisa que você sinta.

Você também pode se comprometer a fazer alguma coisa em prol dessa recordação. A dor e a perda têm um jeito de revelar o que importa.

EXERCÍCIO DE PRÁTICA PROLONGADA
▷▷ Faça o que importa

Uma das melhores maneiras de praticar a autocompaixão é fazer as coisas que proporcionam um sentido de significado e vitalidade à sua vida. Identifique hoje – neste momento – algo que valha a pena para você, uma coisa importante que você poderia fazer para tornar o seu dia mais significativo e satisfatório. Repare que não deve ser um comportamento do tipo preciso de conserto. Em outras palavras, se você pensar *quero me permitir tomar um pouco de sorvete porque o sabor é bom e vai fazer com que eu me sinta melhor*, você decididamente está caindo em uma armadilha do preciso de conserto. O objetivo do comportamento não deve ser "se sentir melhor" livrando-se de experiências interiores difíceis; mais exatamente, ele deve envolver fazer algo significativo e satisfatório – uma coisa que posteriormente fará você sentir que ela mereceu o tempo dedicado a ela, independentemente de como você se sentiu enquanto estava envolvido com ela. Entre os exemplos está entrar em contato com um amigo ou membro da família, dedicar-se a um *hobby* ou uma atividade que você não pratica há algum tempo, desenvolver uma importante habilidade ou buscar uma oportunidade profissional. Esses são atos de autocompaixão porque desenvolvem vitalidade e fortalecem a conscientização de que você sempre pode fazer coisas importantes, independentemente do que esteja acontecendo – dentro ou fora de você.

Uma vez que você tenha identificado uma ação significativa que você possa praticar hoje, anote-a no seu diário e depois o verifique no fim do dia para certificar-se de que a praticou. Quando fizer essa verificação, passe alguns minutos escrevendo a respeito da sua experiência de executar essa atividade e do que ela significou para você. Este é um exercício que você pode fazer todos os dias. Faça-o durante uma semana e depois continue a fazê-lo sempre que achar proveitoso.

A autocompaixão por meio da atenção plena

A atenção plena é a capacidade de se relacionar com a sua experiência no momento presente, o que pode incluir qualquer coisa que você perceba por meio dos cinco sentidos, os seus pensamentos ou os seus sentimentos. A atenção plena também é uma maneira de concentrar a atenção. Ela pode ajudá-lo a se lembrar de informações, a aprender mais rápido e a conscientizar-se de assuntos importantes, como metas ou possíveis soluções para problemas.

Significativamente, a atenção plena também encerra de modo inerente a autocompaixão. Por meio da prática da atenção plena, você pode entrar em sintonia com o seu corpo sem fazer julgamentos. À medida que você se torna um melhor observador das suas experiências, você pode responder de maneiras mais compassivas. Sintonizar-se com o que está acontecendo interiormente, em contraste com afastar essa percepção, é o primeiro passo em direção a modificar as suas experiências. Isso também ajuda a desenvolver uma forma mais compassiva de se relacionar com os pensamentos, sentimentos e sensações.

O propósito da atenção plena é você estar consciente do que está acontecendo à sua volta e dentro de você com curiosidade e abertura. Envolve diminuir o ritmo e se relacionar com a sua experiência por meio de perguntas como as seguintes: *como estou me sentindo? O que está acontecendo comigo? Quais são as minhas necessidades? Que coisa importante quero realizar hoje? Estou fazendo coisas importantes para mim? Estou tratando as outras pessoas com consideração e delicadeza? Estou sendo carinhoso e bondoso comigo?*

Os três próximos exercícios lhe ensinarão algumas habilidades de atenção plena muito básicas, as quais vamos desenvolver nos capítulos seguintes. O objetivo é construir uma base treinando o foco e a atenção.

EXERCÍCIO
▷▷ Sintonize-se

A atenção plena pode parecer complicada ou abstrata, mas ela é uma habilidade simples cuja intenção é fazer com que você concentre deliberadamente a atenção, como demonstra este exercício.

Comece dando uma olhada no aposento onde você está. Identifique dez coisas que você esteja vendo e dê nome a elas.

Em seguida, concentre-se nos sons que você estiver escutando durante um minuto. Mesmo que você esteja em um local "silencioso", veja se consegue notar algum som.

Depois, concentre a atenção no seu corpo por um minuto. Repare se você está relaxado ou tenso, cansado ou enérgico, e assim por diante. Apenas observe como o seu corpo está se sentindo, com curiosidade, também durante um minuto.

Você já está a caminho de se tornar um mestre da atenção plena! Um dos segredos da atenção plena é assumir o ponto de vista de um observador. A sua tarefa é se abrir para as coisas que surgem e simplesmente observá-las ou notá-las, em seguida focalizando partes da sua experiência sem se envolver com elas.

EXERCÍCIO DE PRÁTICA PROLONGADA
▷▷ A prática da respiração com atenção plena

Neste exercício, a sua prática será observar a sua respiração. Essa é uma habilidade essencial da atenção plena. A intenção não é influenciar a respiração ou o que está acontecendo dentro de você, mas sim dirigir delicadamente a atenção para a respiração e observar a sua experiência enquanto ela se expande. Esta é uma importante distinção. A atenção plena significa que você se torna um observador magistral de tudo que acontece a você e dentro de você. Se você se empenhar em tentar mudar o que está acontecendo, não estará mais no estado de atenção plena. Recomendamos ler todo o exercício antes de executá-lo. Inicialmente, é melhor praticar em um lugar tranquilo onde não vá ser perturbado.

Sente-se em silêncio e respire pelo nariz, concentrando a atenção na área logo abaixo da ponta do nariz e acima do lábio superior. Veja se consegue manter a atenção nessa região. Procure sentir a diferença entre a inspiração e a expiração nesse local. Veja se consegue sentir a diferença na temperatura dessa área enquanto inspira e expira. Se não conseguir sentir a respiração, experimente respirar com um pouco mais de força até conseguir detectar a temperatura da respiração. Assim que conseguir sentir a respiração na pele, volte a respirar normalmente. Veja se consegue manter a atenção nessa região enquanto inspira e expira, lentamente, dez vezes.

Em seguida, concentre a atenção no ponto em que o ar entra e depois sai do corpo, concentrando novamente a atenção na inspiração e na expiração nessa região. Veja se consegue manter a atenção nessa área enquanto inspira e expira, lentamente, dez vezes.

Depois, desloque a atenção para o subir e descer do tronco. À medida que o ar enche os pulmões, o tronco se expande, e, quando ele sai, o tronco se contrai. Veja se consegue concentrar a atenção no fluxo e no refluxo da expansão e da contração dessa área. Faça isso enquanto inspira e expira, lentamente, pelo menos dez vezes.

Durante esta prática, você poderá notar que a sua atenção irá se desviar para outras coisas: pensamentos sobre o que você precisa fazer mais tarde, opiniões a respeito de como você está fazendo o exercício e assim por diante. Isso é aceitável. Sempre que acontecer, apenas traga a atenção de volta para a tarefa.

Depois de focalizar a respiração no tronco, volte ao ponto inicial e faça novamente o exercício, concentrando-se primeiro na área logo abaixo da ponta do nariz, em seguida no local onde o ar entra e sai e finalmente no tronco. Continue a praticar pelo menos durante cinco minutos.

A atenção plena requer prática e, assim como a força muscular, ela precisa ser desenvolvida ao longo do tempo e por meio da repetição. Praticar a atenção plena da respiração o ajudará a aguçar a sua percepção. Procure praticar essa habilidade diariamente pelo menos durante uma semana e depois continue a praticá-la sempre que achar necessário.

EXERCÍCIO DE PRÁTICA PROLONGADA
▷▷ Sintonize-se com o corpo

Neste exercício, você passará algum tempo entrando em sintonia com o seu corpo. Isso pode ser mais difícil, porque muitas pessoas tendem a notar os mais diferentes tipos de pensamento e sentimento associados ao corpo. No entanto, isso faz com que ele se torne o lugar perfeito para praticar a atenção plena!

Recomendamos que você leia todo o exercício antes de executá-lo e depois vá para um lugar tranquilo onde possa se dedicar à sua prática sem ser perturbado. Nos dez últimos minutos do exercício, deixe-se guiar apenas pela percepção do que está acontecendo no seu corpo. Assuma uma postura de autocompaixão e observe com base na perspectiva do seu eu permanente. Apenas observe, presencie e descreva a experiência. Se você notar críticas e sentimentos, registre-os e depois volte delicadamente a atenção para o corpo e as sensações que sente nele.

Feche os olhos e comece praticando a atenção plena da respiração durante pelo menos dois minutos.

Em seguida, desloque a atenção para o alto da cabeça. Use a atenção como um instrumento sensível e examine delicadamente, de um lado para o outro, a superfície do alto da cabeça, registrando o que quer que sinta. Não procure ou espere por determinadas sensações; registre quaisquer sensações ali presentes.

Quando você for capaz de sentir sensações físicas no alto da cabeça, volte a atenção para outras partes do corpo. Desloque a atenção para qualquer área e veja se consegue detectar as sensações físicas próprias dessa parte específica do corpo. Você poderá notar, por exemplo, tensão, rigidez, calor, relaxamento, movimento, ausência de movimento, peso, leveza, suavidade ou ritmos. A sua tarefa é simplesmente observar e descrever o que estiver vivenciando. Você pode dirigir a percepção para os ombros, reparando na posição deles e em qualquer tensão ou fadiga, e depois avançar para peito, braços, pernas, pés, dedos dos pés e assim por diante, observando as sensações da mesma maneira. Procure ver se consegue sentir uma área bem pequena. Isso ajudará a aguçar a sua atenção.

Exercite-se observando as sensações físicas em várias partes do corpo durante pelo menos dez minutos. Enquanto estiver praticando, você poderá perceber a sua atenção se deslocando para outras coisas: pensamentos sobre o que você precisa fazer mais tarde, preocupações a respeito de coisas que aconteceram, opiniões sobre como você está fazendo o exercício e assim por diante. Isso é perfeitamente aceitável. Sempre que acontecer, apenas traga a atenção de volta para o corpo.

✣ ✣ ✣

Que lugares você escolheu para se concentrar? Você entrou em sintonia com o alto da sua cabeça, os olhos ou os músculos dos ombros? Que sensações teve? Talvez tenha sentido calor, palpitações ou sensações de formigamento. Sintonizar-se às vezes pode ser interessante, outras vezes, desconfortável e, não raro, difícil. Mas, à medida que entra mais em sintonia com o seu corpo, você pode fazer escolhas a respeito de como reagir ao que está acontecendo dentro de você. Quando se permitir observar com mais frequência o que está ocorrendo no seu interior, notará uma mudança natural para uma maior autocompaixão e abertura.

Assim como no caso da respiração com atenção plena, recomendamos que você pratique esta habilidade diariamente pelo menos durante uma semana. A prática da atenção plena tanto do corpo quanto da respiração é uma base importante para o trabalho que você vai fazer com este livro. Vamos desenvolver essas habilidades enquanto lhe ensinamos como se relacionar de uma maneira diferente com os seus pensamentos e sentimentos e o ajudamos a se concentrar no que é importante para que você possa traçar um novo rumo na vida. Esse rumo começa com a adoção de uma postura simples e compassiva, na qual você reconhece que o que quer que você perceba, sinta e pense é perfeitamente aceitável.

A perda de peso a partir de uma nova perspectiva

Comece agora a traçar um novo rumo. Com base na perspectiva do seu eu permanente, os pensamentos são simplesmente o que o nome diz – pensamentos –, e não verdades absolutas. Você pode observá-los e descrevê-los com atenção, deixando que sejam o que são. Os sentimentos são apenas isso – sentimentos –, estados transitórios que vêm e vão embora ao longo da vida. Você pode abrir espaço para o fluxo e o refluxo natural deles. As recordações são meramente isso – recordações, instantâneos das experiências da vida. Você pode observar com atenção a natureza histórica delas e separar isso do que estiver acontecendo agora.

Com base nessa perspectiva você pode abandonar a armadilha do preciso de conserto e se concentrar na visão mais abrangente de como deseja viver. Mas isso poderá levantar algumas questões: o que você deseja fazer? Qual seria um rumo mais compassivo e vigoroso para uma vida saudável?

||||||||||||||||||||||||||||||||||||||||||||||||||||||||||||||||||||||||||||||||||

EXERCÍCIO
▷▷ Identificando razões de autocompaixão para ter um estilo de vida mais saudável

Reserve um momento agora e crie uma lista de motivos para ter um estilo de vida mais saudável, motivos que sejam compatíveis com a autocompaixão. Imagine o que um estilo de vida mais saudável proporcionará ao seu corpo e possibilitará que você faça na vida. Eis uma dica: se qualquer coisa que escrever tiver relação com pensar ou se sentir de uma maneira diferente porque você emagreceu, você terá se desviado do seu rumo e estará perambulando pela terra do preciso de conserto. Dê meia-volta e pense em maneiras pelas quais uma vida saudável pode capacitá-lo a viver com propósito e vitalidade. Ela possibilita que você se envolva mais, ou mais autenticamente, com a sua família e os amigos? Ela o ajuda a se dedicar a atividades que você considera difícil atualmente? Ela possibilita que você sirva de exemplo para outras pessoas ou o ajuda a se interessar mais pelos outros ou a ser mais afetuoso? Escreva o título "Motivos de autocompaixão para adotar um estilo de vida mais saudável" no seu diário e depois relacione os motivos que mais combinam com você. Se achar este exercício difícil, volte a ele depois de ter examinado mais alguns capítulos.

Resumo

Este capítulo o ajudou a examinar a autocompaixão e como essa postura difere da motivação baseada na aversão por si mesmo. Conectar-se a um sentimento estável do eu, o que chamamos de seu eu permanente, é importante para evitar a armadilha do preciso de conserto. Com base nessa perspectiva, os atos de autocompaixão são mais naturais. Agir com autocompaixão pode conduzir a mudanças duradouras no comportamento, ao passo que as mudanças estimuladas pela mentalidade preciso de conserto tendem, na melhor das hipóteses, a durar pouco. Os próximos capítulos vão se concentrar em habilidades que permitem você lidar de uma maneira mais compassiva e eficaz com os pensamentos e sentimentos que o arrastam para a armadilha do preciso de conserto.

Capítulo 3

Não mude os seus pensamentos, mude o seu comportamento

Gina tinha dificuldade para emagrecer. Ela tinha três filhos e trabalhava fora, então achava que era muito ocupada. Ela se saía bem quando começava a fazer dieta, mas com o tempo sentia que os seus pensamentos a traíam. Depois que as crianças iam para a cama, Gina tinha a impressão de que os armários da cozinha falavam com ela. É claro que eles não estavam efetivamente falando com ela (pelo menos esperamos que não!), mas ela tinha muitos pensamentos importunos a respeito de comida, de querer beliscar, de morrer de vontade de comer sobremesas e assim por diante. Esses pensamentos sempre apareciam quando as coisas ficavam mais calmas, mesmo que apenas por alguns momentos. Gina deu consigo lutando contra eles, e parecia que a única maneira de fazer com que fossem embora era ceder e comer alguma coisa.

Quando estava se saindo bem, Gina reparava que tinha mais pensamentos do tipo *Você conseguiu isso; não se preocupe* ou *Você pode comer um pouco daquilo; não vai fazer mal nenhum* ou ainda *Você está se saindo muito bem; você merece isto!* No início, ela ignorava esses pensamentos, mas com o tempo eles a venciam pela persistência, e Gina retomava os antigos hábitos alimentares. Isso conduzia a outros pensamentos, que agora eram mais do tipo *Você estragou tudo* ou *Você nunca vai conseguir* ou *Você é fraca e repulsiva.* Esses pensamentos não raro faziam com que ela abandonasse a dieta e ficasse extremamente deprimida.

EXERCÍCIO
▷▷ Observando o constante fluxo de pensamentos

A nossa mente produz pensamentos – muitos deles – e faz isso constantemente. Se você se sintonizar com a sua mente e prestar atenção nela, quase conseguirá ouvir o ruído do motor. Lembranças, opiniões, listas intermináveis de coisas a fazer, preocupações, planos, músicas, ideias aleatórias, regras a respeito do que fazer e não fazer, e assim por diante. Passe um minuto agora tentando escutar os seus pensamentos. Observe toda a atividade que está acontecendo na sua mente. Pegue o seu diário e, em uma nova página, escreva cada pensamento que você está tendo, o mais rápido que puder, durante três minutos. Fique à vontade para usar formas abreviadas ou palavras simples em vez de frases inteiras. Se você tiver pensamentos como *Será que estou fazendo isto direito?* ou *Não estou tendo nenhum pensamento*, repare que esses também são pensamentos e anote-os. Vá em frente, faça isso agora.

✶ ✶ ✶

São muitos pensamentos, certo? Vivemos em um fluxo constante deles, com a nossa mente gerando um após o outro, de modo incessante. Raramente percebemos esse processo e apenas vivemos dentro do fluxo interminável de pensamentos produzidos pela nossa mente.

Os pensamentos podem ser muito poderosos. Eles são capazes de nos puxar e empurrar de um lado para o outro. Podemos nos empenhar de tal maneira em não ter certos pensamentos, como *Sou fraco*, que evitamos fazer uma coisa importante, por exemplo uma dieta, por medo de fracassar. Podemos nos empenhar tanto em ter um determinado pensamento, como *Sou uma boa pessoa*, que somos capazes de nos dedicar incessantemente a algo, como fazer coisas pelos outros, à custa da nossa própria vida. Quando jogamos o jogo de "controlar os nossos pensamentos", com frequência perdemos. Podemos perder o rumo e ficar fora de sintonia com o que é importante e com o que funciona. Essa é uma armadilha do preciso de conserto relacionada com os pensamentos. Quando fazemos as coisas principalmente para influenciar o que pensamento, caímos na armadilha.

O incômodo urso branco

Se não gostamos de um pensamento, faz sentido nos livrarmos dele ou substituí-lo por alguma coisa que nos agrade. Mas isso de fato funciona? O psicólogo Daniel Wegner passou anos estudando a repressão dos pensamentos. Ele queria saber o que acontece quando tentamos fazer os pensamentos irem embora e fez uma série de experimentos, entre eles o hoje famoso estudo do urso branco, no qual ele apenas pediu aos participantes que tentassem pensar sobre qualquer coisa, exceto em um urso branco. Isso pode parecer bizarro, uma vez que a maioria das pessoas não pensa com muita frequência em ursos brancos, mas esse era exatamente o ponto. O que Wegner e seus colegas descobriram foi que, de um modo geral, reprimir ou se livrar de um pensamento não é assim tão fácil (Wegner *et. al.*, 1987). Poucas pessoas foram realmente bem-sucedidas no estudo. O mais importante, contudo, foi a descoberta de que as pessoas que conseguiram reprimir esses pensamentos vivenciaram um efeito rebote: posteriormente, elas pensaram muito mais em um urso branco, e os pensamentos pareceram muito mais intensos. A repressão, ao que pareceu, teve o efeito oposto do que o que foi pretendido.

Pense, por um momento, no seguinte: com que frequência você já disse a si mesmo para não pensar em alguma coisa? Com que frequência você tentou substituir um pensamento negativo por um positivo? Todos nós fazemos isso. A sociedade oferece muitas mensagens de que deveríamos ser capazes de fazer isso ("Tenha pensamentos felizes" ou "A mente sobre a matéria"). Portanto, provavelmente não deveríamos ficar surpresos com o fato de nos sentirmos mal quando não conseguimos controlar os nossos pensamentos, o que acontece com muitos de nós. Isso se parece muito com uma armadilha do preciso de conserto. Talvez haja uma alternativa.

A abordagem da ACT

Sugerimos que você se esquive da armadilha do preciso de conserto mudando o seu relacionamento com os seus pensamentos sem tentar mudar os pensamentos propriamente ditos. Por exemplo, digamos que você se debata com o pensamento *sou repulsivo*. Você poderia tentar controlar isso não se envolvendo nunca com situações que dessem origem a esse pensamento, como fazer sexo com o seu parceiro, subir na balança ou ir à academia. No entanto, se você dá valor à intimidade e à saúde, essa estratégia não lhe será boa, especialmente a longo prazo.

Em vez disso, se você conseguir mudar o seu relacionamento com o pensamento *Sou repulsivo* e vivenciá-lo como um pensamento e nada mais, não fará tanta diferença ter esse pensamento enquanto estiver se dedicando ao que lhe interessa. Você poderia muito bem deixar de controlar esse pensamento e passar a usufruir a intimidade, subir na balança ou ir à academia, sabendo muito bem que é bem possível que o pensamento *Sou repulsivo* apareça. Em certo sentido, você está permitindo que esse pensamento esteja presente sem ficar tão apegado ao conteúdo ou ao significado dele. Para fazer isso, é proveitoso começar a olhar para os seus pensamentos por uma perspectiva radicalmente diferente.

Para olhar para os seus pensamentos por uma perspectiva diferente, você precisa primeiro se tornar mais competente em observar o processo do pensamento. Isso pode soar estranho, mas seja paciente conosco aqui. Para modificar a maneira como se relaciona com os seus pensamentos, você precisa se tornar mais consciente de que está tendo pensamentos. Em seguida, você pode abandonar o constante fluxo de pensamentos e começar a olhar para eles. Quando conseguir se distanciar um pouco dos seus pensamentos, poderá vivenciá-los com menos apego ou conflitos. Como poucas pessoas aprendem a fazer isso, você provavelmente terá de praticar bastante. O restante deste capítulo apresenta exercícios e outros tipos de orientação a respeito de como vivenciar os seus pensamentos de uma maneira diferente para que você possa se concentrar mais em uma vida saudável, mesmo quando pensamentos improdutivos aparecerem.

Olá, mente!

O mais longo relacionamento que você terá na sua vida é o que você tem com a sua mente. Ele remonta às suas mais antigas recordações e estará presente até você morrer. Sendo assim, queremos aproveitar esta oportunidade para fazer uma apresentação adequada. Você, Mente... Mente, Você... Ótimo, feito isso, vamos dizer uma coisa que a sua mente não vai gostar: ela nem sempre é sua amiga! Pronto, dissemos. Não é que a sua mente tenha más intenções; acontece que os métodos dela nem sempre são benéficos. Mas estamos nos adiantando.

Você talvez tenha notado que a sua mente nunca se cala. Mesmo quando você está dormindo, ela sonha, não raro produzindo algumas coisas muito estranhas. Logo de manhã, ela começa a lembrar tudo o que você precisa fazer ao longo do dia. E quando você precisa relaxar? Ha! Geralmente é quando ela aumenta o volume (*Você tem muita coisa para fazer!*). E assim ela continua, com uma incessante loquacidade, fazendo comentários sobre tudo, preocupando-se, lembrando-lhe dos mais diversos assuntos, afligindo-se a respeito de futuros cenários imaginários. Assim como o coelho das pilhas Energizer e Duracell, ela não para nunca.

Quando se trata de perder peso, a sua mente pode ser como o pior orador motivacional. Ela acha que está lhe fazendo um favor. Ela acha que o está ajudando a viver a sua vida. Não raro, está fazendo exatamente o oposto. A nossa mente evoluiu para nos manter fora de perigo, de modo que geralmente se concentra nos aspectos negativos, como mágoas e fracassos do passado, no que não está indo bem agora e no que poderá dar errado no futuro: *você se lembra de quando riram de você?... Todo mundo acha você gordo e feio... Ninguém vai levá-lo a sério... Você vai morrer sozinho!* Esse tipo de lembrete destina-se supostamente a motivá-lo a mudar e a viver uma vida mais completa e saudável. Isso realmente ajuda algumas pessoas a mudar. A maioria de nós, contudo, não se sente motivada por esse contrassenso.

Na verdade, as pesquisas mostram que esse tipo de pensamento estigmatizante leva as pessoas a fazer exatamente as coisas que estão tentando não fazer (Puhl e Heuer, 2010). Esses pensamentos nos impelem a procurar conforto na tentativa de evitar sentir-nos mal. Uma boa maneira de fazer isso a curto prazo é evitar as coisas difíceis, como malhar na academia com outras pessoas por perto, e uma excelente maneira de sentir-nos melhor a curto prazo é, naturalmente, a nossa velha amiga: a comida. Essa é apenas outra maneira de ficar preso na armadilha do preciso de conserto, tentando mudar o que está acontecendo interiormente à custa de fazer coisas de fato importantes.

EXERCÍCIO

▷▷ Enxergue a sua mente como um orador motivacional equivocado

Escreva o seguinte título no seu diário: "O pior discurso motivacional da minha mente". Em seguida, leve pelo menos cinco minutos redigindo o discurso motivacional mais equivocado da sua mente. Não deixe de usar as preferências motivacionais dela – por exemplo: *Você é repulsivo. Quem iria querer ficar ao seu lado?* Vá em frente e escreva o discurso.

❋ ❋ ❋

Agora, leia o discurso em voz alta, visualizando a sua mente como um personagem de cartum ou uma celebridade da mídia que você não considere convincente. Você pode escolher Patolino, Mickey Mouse, Geraldo Rivera, George Bush, Bill

Clinton – qualquer pessoa que você acredite se encaixar na descrição. Faça a experiência com pelo menos dois personagens diferentes. Vá em frente e faça isso agora.

✳ ✳ ✳

Como foi a experiência? Você provavelmente a achou um pouco estranha, mas também pode ter achado difícil levar o discurso muito a sério. Esse é apenas um pequeno exemplo do que queremos dizer com mudar a maneira de se relacionar com os seus pensamentos. É provável que a sua mente tenha dissertado para você muitas partes desse discurso repetidas vezes. E não duvide, nem mesmo por um instante, de que ela irá fazer isso novamente no futuro. Quando você está envolvido com os seus pensamentos, essas palavras parecem verdadeiras, importantes e autênticas. Você sente que, para viver a vida que deseja, precisa primeiro corrigir ou modificar esses pensamentos, fazer coisas para expulsá-los ou, o que é ainda melhor, provar que eles estão errados.

Mas se você se conscientizar de que está pensando, de que a sua mente está produzindo pensamentos, poderá então se dar conta de que a sua mente está apenas fazendo o que foi criada para fazer. Uma vez mais está na hora do discurso, e você é a audiência cativa. Se você conseguir imaginar que os pensamentos procedem de algum lugar ou de alguém, passa a existir, de repente, uma certa distância entre você e o que a sua mente está dizendo.

Talvez você não precise lutar com esses pensamentos, aceitá-los, tampouco agir movido por eles. Talvez eles apenas toquem como um disco quebrado, repetindo os maus conselhos de um orador motivacional bem-intencionado, porém seriamente equivocado. É bem possível que esse discurso não vá ajudá-lo a chegar aonde você deseja ir.

Se isso for verdade, então você precisa que o discurso mude? Você precisa que a sua mente profira o discurso motivacional "correto"? Provavelmente não. Talvez você possa apenas deixar a sua mente proferir o discurso enquanto opta por fazer as coisas que lhe são importantes. Deixe o discurso se repetir monotonamente em segundo plano.

EXERCÍCIO
▷▷ Entenda de onde vêm os pensamentos

Neste exercício, vamos dar uma olhada na origem dos pensamentos. Ele começa com um clássico exercício da ACT (Hayes, Strosahl e Wilson, 1999). Vamos dizer o nome de uma fruta e pedir que você se lembre dele. A fruta é uma melancia sem sementes. É bem simples. Então, se lhe perguntássemos "Qual é a fruta?" você responderia – é preciso que seja em voz alta – "Melancia sem sementes". É importante se lembrar disso porque um dia, inesperadamente, vamos chamar uma pessoa sortuda que comprou este livro e perguntar qual é a fruta. Essa pessoa pode ser você, e se você responder "Melancia sem sementes", vamos lhe enviar um grande prêmio em dinheiro. Pense no que você pode fazer com esse dinheiro adicional. Uma vez mais, você só precisa responder a uma simples pergunta. "Qual é a fruta?" Vá em frente e repita "Melancia sem sementes" mais três vezes.

Ok, na realidade não temos um prêmio em dinheiro esperando (desculpe!), mas se, de algum modo, pudéssemos telefonar para você na semana que vem e perguntar "Qual é a fruta?", você acha que seria capaz de responder "Melancia sem sementes"? Provavelmente. E daqui a umas duas semanas ou um ou dois meses? Conseguimos convencê-lo a repetir a frase, e agora você tem as palavras "melancia sem sementes" matraqueando na sua cabeça. E se lhe pedíssemos para repetir diariamente essas palavras durante uma semana, você poderia ficar com "melancia sem sementes" na cabeça até morrer. Parece estranho, não?

Vamos investigar isso um pouco mais. Leia as frases abaixo e complete cada uma delas:

Corro de burro quando...

Quem canta seus males...

Um dia é da caça, o outro...

Apostamos como você disse "foge", "espanta" e "do caçador", certo? Mas de onde vieram esses pensamentos? Como todos os pensamentos, você passou por eles em algum momento da sua vida. Você não nasceu com eles. Ao longo da vida, somos expostos a bilhões de palavras vindas dos nossos pais, colegas, professores, da televisão, do cinema, dos jornais, da internet e de um sem-número de outras fontes, sem mencionar uma enorme quantidade de imagens, vídeos e eventos da vida, todos deixando um eco na nossa memória. Cada uma dessas coisas é uma "melancia sem sementes" potencial.

Você acredita que *Quem canta seus males espanta*? Provavelmente não. É fácil ver que isso é um eco do passado. Mas e quanto aos pensamentos que são mais pessoais? Complete as frases seguintes com a primeira coisa que lhe vier à cabeça. É importante que você procure não editar, acreditar ou discutir com o que quer que surja. Simplesmente observe o primeiro pensamento que a sua mente lhe fornecer e registre-o no seu diário:

Estou acima do peso porque...

O meu maior problema é que eu...

As pessoas me acham...

Eu gostaria de ser...

Quando você examinar esses pensamentos, verá que eles provavelmente parecem menos aleatórios do que *Um dia é da caça, o outro do caçador*. Eles por acaso parecem mais verdadeiros ou autênticos? Reconheça sinceramente que esses pensamentos passaram por você. Você acha que nasceu com um pensamento do tipo *Sou fraco*? Claro que não. Você consegue recordar ou imaginar quando alguém pode ter dito isso para você? Ou talvez você tenha feito essa dedução ao observar que outras pessoas pareciam lidar melhor com as coisas do que você ou ao se comparar com um ideal que você imaginou.

A cilada é que *Sou fraco* não é diferente de *Melancia sem sementes*. Você adquiriu as duas ideias apenas vivendo a sua vida e sendo exposto a palavras. A diferença reside em como você se relaciona com esses pensamentos. Um parece tolo e aleatório, o outro não tanto. Contudo, ambos são pensamentos automáticos, simples ecos da sua história que surgem de tempos em tempos. Qual é mesmo a fruta? Você tem excesso de peso porque...? É claro.

Tipicamente, as pessoas não conseguem encarar os pensamentos como ecos da sua história, o que encerra um perigo. Se *Sou fraco* é autêntico e verdadeiro, então você precisa mudar ou fazer esse pensamento ir embora antes de poder realizar coisas importantes na sua vida (novamente a armadilha do preciso de conserto). Você precisa consertar o *Sou fraco*. Afinal de contas, se você for literalmente fraco demais para seguir determinada dieta, não faz sentido tentar fazer nenhuma dieta enquanto não se tornar forte o suficiente. Portanto, o pensamento precisa mudar antes que você possa seguir a sua dieta. Infelizmente, os pensamentos não parecem funcionar dessa maneira.

Tente agora fazer com que a fruta *não* seja "melancia sem sementes". Vá em frente. Esqueça essa frase e faça com que a resposta seja uma coisa totalmente diferente. É difícil fazer isso, não é mesmo? Agora que "melancia sem sementes" está presente, ela vai permanecer com você durante algum tempo. Não conhecemos nenhum processo que possibilite o "desaprendizado". As palavras e os pensamentos trabalham por adição, não por subtração. Assim, uma vez que você tenha um pensamento na cabeça, é provável que volte a ter esse pensamento, ou alguma variação dele, no futuro.

Pense agora em como a nossa sociedade pode ser cruel. A ridicularização e das pessoas acima do peso e a crítica a elas são aceitáveis, aparecendo como piadas sobre pessoas gordas, histórias a respeito da falta de força de vontade, personagens vergonhosas da televisão, revistas que censuram ganhos de peso de dois quilos e até mesmo amigos e familiares que fazem comentários depreciativos. Isso é tão intenso, que as crianças começam a ter preconceito contra as pessoas que estão acima do peso desde os 3 anos de idade (Cramer e Steinwert, 1998). Por conseguinte, se você vive neste mundo, você já esteve exposto a um sem-número de ecos intolerantes, como *Sou fraco*, e eles não vão embora. A sua exposição foi excessiva.

O outro problema com tentar corrigir o *Sou fraco* é que as tentativas de fazer isso confirmam existir de fato alguma coisa errada com você que precisa ser consertada. Você está dando mais atenção aos pensamentos na sua vida, que é exatamente o oposto do que deseja. Os pensamentos são uma parte de você, algo que você vivencia. Ao tratá-los como se precisasse corrigi-los, você caiu novamente na armadilha do preciso de conserto – o ponto de vista de que o que acontece dentro de você não é aceitável. É como se tornar o inimigo... de si mesmo! Essa não é a abordagem de autocompaixão que discutimos no Capítulo 2.

Veja se você consegue encarar *Sou fraco* apenas como um pensamento – algo pelo qual você passou, um eco do passado como *Melancia sem sementes*. Se isso é apenas um palavreado repetitivo da sua mente, o pior orador motivacional do mundo, você não precisa fazer nada a respeito. O pensamento *Sou fraco* é natural e faz parte de você, mas não o define.

Encarar os pensamentos apenas como pensamentos pode deixá-lo livre para se comportar de maneiras dinâmicas e significativas para você, em contraste com se concentrar em tentar provar ou refutar os seus pensamentos. Um primeiro passo importante é notar que todos os pensamentos são ecos. Alguns são proveitosos, outros improdutivos, e alguns não são nem uma coisa nem outra. Dar um passo atrás e ver os pensamentos pelo que eles são – apenas pensamentos – pode ajudá-lo a abandonar a luta e fortalecer a vida saudável.

O dueto diabólico: pensamentos de autossabotagem e autoavaliação

Se você está tentando emagrecer, alguns tipos de pensamento podem ser particularmente improdutivos. Podemos chamá-los de dueto diabólico: pensamentos de autossabotagem e de autoavaliação. Os pensamentos de autossabotagem podem ser positivos (*Eu mereço isto* ou *Eu me comportei bem a semana inteira. Por que não?*) ou negativos (*Não mereço ter sucesso* ou *Estraguei tudo mesmo; que diferença vão fazer outros dois cookies?*). Os pensamentos de autossabotagem incentivam as pessoas a agir de maneira pouco saudável. Esses ecos parecem surgir quando estamos vulneráveis e nos estimulam a procurar a gratificação e o consolo. Não deveria causar surpresa o fato de concordarmos com esses pensamentos e fazermos coisas que nos proporcionam prazer ou alívio a curto prazo, mesmo que isso envolva o sacrifício de metas a longo prazo.

A outra metade do dueto dinâmico são os pensamentos de autoavaliação – aqueles que fazem críticas a respeito do nosso comportamento, da nossa aparência ou do nosso caráter. Eis alguns exemplos: *Eu deveria ter feito melhor essa semana. Há algo errado comigo. Sou repulsivo. Provavelmente vou recuperar o peso que perdi.* É particularmente fácil ficarmos emperrados ou nos debatermos com esses pensamentos porque eles parecem atacar a nossa autoestima. Você pode até mesmo estar ouvindo a sua mente defender esses pensamentos neste momento: *Mas alguns deles são verdadeiros!* Agradeça à sua mente, o pior orador motivacional do mundo, por se intrometer na conversa.

EXERCÍCIO
▷▷ Reconheça o dueto diabólico

Ao concordar que os pensamentos de autossabotagem e de autoavaliação podem facilmente desviá-lo do rumo correto, é importante que você se conscientize mais deles para poder reconhecê-los quando aparecerem. Depois você pode mudar a maneira como reage a eles. Comece uma nova seção no seu diário com o título "Meus pensamentos de autossabotagem" e relacione o maior número possível deles. Vá em frente e faça isso.

✳ ✳ ✳

Agora pense nos seus pensamentos de autoavaliação "de maior sucesso". Inicie uma nova seção no seu diário com o título "Meus pensamentos de autoavaliação" e relacione o maior número possível deles. Vá em frente e faça isso.

✳ ✳ ✳

Esses pensamentos foram familiares para você? Eles parecem antigos – como um disco quebrado na sua mente que fica tocando sem parar?

Fique de olhos nos dois tipos de pensamento e, quando perceber que eles estão surgindo, procure rotulá-los pelo que eles são: pensamentos de autossabotagem e pensamentos de autoavaliação. Você pode dizer para si mesmo: *noto que estou tendo um pensamento de autossabotagem agora*. A chave é a conscientização. Observe o processo enquanto ele acontece.

Passe alguns momentos examinando se esses pensamentos o ajudaram a viver a vida do jeito que você queria. Considerar esses pensamentos importantes ou verdadeiros o ajuda a viver uma vida dinâmica, significativa e saudável? Se a resposta for não, talvez você não precise se deixar convencer por esses pensamentos quando eles aparecerem. Talvez você possa apenas abrir espaço para eles sem tentar controlá-los ou fazer com que vão embora. Talvez você possa simplesmente observá-los como faria com relação a uma repentina rajada de vento ou um pequeno animal que passasse correndo na sua frente – algo observável, porém sem consequências para você ou para as ações que você vai escolher praticar.

EXERCÍCIO DE PRÁTICA PROLONGADA
▷▷ Observe os pensamentos

A melhor maneira de mudar a sua relação com os pensamentos de autossabotagem e de autoavaliação é se exercitar observando os seus pensamentos. Essa é uma clássica abordagem da ACT (Hayes, Strosahl e Wilson, 1999). Leia o exercício completo e depois tente fazê-lo durante cinco minutos.

Comece praticando brevemente a atenção plena da respiração, como descrito no Capítulo 2.

Após se centrar, feche os olhos e imagine que está sentado em um auditório, mais ou menos na vigésima fileira, de frente para um grande palco. Enquanto você olha para o palco, pessoas com grandes cartazes entram pela esquerda, percorrem o palco de um lado até o outro, e depois saem pela direita. Os seus pensamentos estão escritos individualmente nos cartazes. Alguns passam lentamente, outros desaparecem rápido e alguns permanecem no palco e ficam dando voltas. Deixe que eles se desloquem no ritmo deles, observando cada um passar ao longo da sua linha de visão. Visualize esse cenário e observe os seus pensamentos enquanto eles passam pelo palco durante pelo menos cinco minutos.

Se o cenário de palco não estiver dando certo para você, imagine que cada pensamento está em uma nuvem que passa por você flutuando enquanto você olha para cima ou em uma folha que desce na correnteza de um rio. Se tiver dificuldade para fazer isso, mesmo que apenas por alguns segundos, escreva os pensamentos no seu diário quando eles aparecerem. Exercite-se pegando cada um deles e tomando nota, depois visualize os pensamentos que você registrou. À medida que isso for ficando mais fácil, você poderá pular a etapa de anotar os pensamentos e apenas imaginar com os olhos fechados que os está vendo.

Você talvez tenha notado que pode ser difícil fazer esse exercício. É por esse motivo que ele requer prática. Às vezes, você poderá lutar com pensamentos do tipo *Não estou fazendo isto direito* ou *Não estou pensando em nada*. Ambos são pensamentos, e você também deve vê-los atravessando o palco.

Em outras ocasiões, você poderá notar que não está mais observando o palco. Poderá, por exemplo, notar o pensamento *Isto é esquisito* passar em um cartaz e depois se perder em pensamentos sobre o que precisa fazer mais tarde, como *Preciso comprar pão*, e se envolver com esse pensamento. Agora você não está mais olhando para o palco; você está no palco. Isso é perfeitamente aceitável. O segredo é apenas notar que isso aconteceu e, em seguida, retomar o exercício e voltar a observar os seus pensamentos. Esta é uma importante distinção que você precisa aprender a fazer: notar quando você está observando os seus pensamentos e quando está no palco envolvido com um pensamento. Você sempre pode voltar à observação. A meta não é a perfeição; é apenas praticar a observação. Essa é a maneira mais poderosa de mudar a sua relação com os seus pensamentos, portanto procure fazer este exercício com frequência. Recomendamos pelo menos cinco minutos de prática diária.

À medida que você for se sentindo mais à vontade em observar os seus pensamentos, veja se consegue dirigir a atenção especificamente para os pensamentos de autossabotagem e de autoavaliação. Talvez esses cartazes tenham cores diferentes ou estejam escritos em outra fonte. Quando você vir um pensamento de um dos dois tipos, simplesmente coloque-o em uma caixa com o rótulo apropriado. Quando eles estiverem ausentes, apenas observe todos os outros pensamento passarem pelo palco.

Desgrude-se

O importante no caso dos pensamentos é notá-los e se soltar deles. Os pensamentos podem se comportar como o mel quando o tocamos e depois tentamos limpar as mãos com um guardanapo. A viscosidade permanece. Podemos ficar grudados em todos os tipos de pensamento: pensamentos de autossabotagem e de autoavaliação, é claro, mas também recordações dolorosas, receios com relação ao futuro e histórias a respeito de quem somos e por que somos do jeito que somos. O seu melhor recurso é se exercitar para olhar todos os pensamentos do mesmo jeito: como simples pensamentos. Quando faz isso, você tem o espaço necessário para decidir se um pensamento é útil ou não.

Os pensamentos podem ajudá-lo a resolver problemas; e também podem criá-los. Do mesmo modo, eles podem levá-lo para mais perto ou mais longe das coisas com que você se importa. Se um pensamento for improdutivo, esquive-se dele, evitando também a necessidade de reagir a ele, desaprová-lo ou avaliar se ele é verdadeiro ou não. É isso que queremos dizer com desgrudar-se: deixe que os pensamentos improdutivos fiquem por perto. Isso é aceitável. Você não precisa combatê-los ou mudá-los a fim de praticar ações significativas na sua vida.

Além do exercício de observar os seus pensamentos, existem várias outras técnicas que podem ajudá-lo a se soltar. Vamos examinar alguns diferentes tipos de pensamento e investigar maneiras de você se desgrudar deles.

A brigada da razão

Somos culturalmente treinados a apresentar razões para o nosso comportamento: na infância ("bati no Pedro porque eu estava zangado"), quando ficamos um pouco mais velhos ("Não consigo arranjar um namorado porque ninguém se sente atraído por mim"), e o processo continua ("Não fui malhar porque estava cansado demais" ou "Interrompi a dieta porque não tenho força de vontade"). De fato, vão lhe perguntar "Por que você fez aquilo" um sem-número de vezes na sua vida. É melhor ter uma resposta socialmente aceitável, caso contrário as pessoas vão olhar para você de um jeito estranho. No entanto, de um ponto de vista científico, o motivo pelo qual fazemos o que fazemos é simplesmente desconhecido. Sem brincadeira.

O que você fez no oitavo dia depois do seu sétimo aniversário? E no nono dia após o seu décimo aniversário? Você não sabe? Claro que não. A grande maioria das experiências de cada pessoa está perdida – elas estão inacessíveis para a memória e perdidas para sempre. Entretanto, vamos supor por um momento que você se lembre de tudo o que já lhe aconteceu. Mesmo que se lembrasse, não conseguiria saber as razões exatas pelas quais fez ou deixou de fazer alguma coisa. Para que isso acontecesse, o seu cérebro teria de ser o computador mais incrível jamais visto, repleto de algoritmos precisos ligados a princípios científicos conhecidos de comportamento (que não existem).

Em vez disso, aprendemos uma espécie de forma abreviada para que possamos coexistir de uma maneira pacífica e eficaz com as outras pessoas. As histórias que contamos a respeito de por que fazemos e deixamos de fazer as coisas são em benefício da sociedade, e não necessariamente em nosso benefício. Não podemos sair por aí dizendo "não sei" todas as vezes. Precisamos responsabilizar as pessoas por crimes e comportamentos antissociais para que possamos funcionar e viver juntos. Sendo assim, precisamos de marcadores para ensinar às pessoas o que fazer e o que não fazer.

Por exemplo, dizer a uma criança "Você bateu na sua irmã porque estava zangada. Você não pode bater na sua irmã quando está zangada" é uma ferramenta de aprendizado proveitosa. Ela ajudará a criança a compreender que, quando tiver um sentimento chamado de raiva, ela não pode simplesmente bater nas pessoas. O que não significa que a raiva seja a causa da agressão – isso não é verdade de jeito nenhum – mas é parte da lição ensinada por essas declarações. Com o tempo, aprendemos um número cada vez maior de "razões" pelas quais fazemos o que fazemos e passamos a acreditar nas nossas histórias a respeito do nosso comportamento. No entanto, surgem problemas quando acreditamos em todas as razões que a nossa mente nos fornece.

A pergunta mais importante é a seguinte: concordar ou acreditar em uma razão particular o ajudará a se aproximar mais da vida que você deseja ou o distanciará dela? Em outras palavras, concordar com a razão *Não posso malhar porque estou cansado demais* ou *Como demais porque sou viciado em açúcar* o capacita a viver uma vida mais saudável ou o mantém preso em velhos padrões? Compreendemos que pode ser confuso pensar nas razões dessa maneira, como algo que não corresponde a verdades predefinidas. Permaneça conosco.

EXERCÍCIO
▷▷ Reconheça a brigada da razão

As razões podem ser como uma unidade militar bem-treinada. Elas conhecem o trabalho que fazem, estão prontas para entrar em ação, e a sua mente, o pior orador motivacional do mundo, as utiliza livremente para promover o plano dela. Vamos examinar a rapidez com que a sua mente é capaz de convocar a brigada da razão. Escreva no seu diário o título "Brigada da razão". Em seguida, sem censurar ou editar os seus pensamentos, relacione todas as razões em que você conseguir pensar para estar acima do peso. Você não precisa acreditar nessas razões. Apenas relacione o que lhe vier à mente e continue a fazer isso durante, pelo menos, cinco minutos.

Como você se saiu? O nosso palpite é que você pensou em uma série de razões, e, se lhe pedíssemos para escrever por mais tempo, a sua mente poderia gerar muitas outras. Quando uma unidade fica exaurida, a sua mente provavelmente chama a seguinte. Talvez a mente comece com a brigada do caráter: *Sou fraco, não tenho força de vontade* e *Não sou forte o bastante para fazer isso*. Em seguida, ela prossegue com a brigada da história: *Caçoavam muito de mim quando eu era mais novo, Minha mãe me obrigava a comer tudo o que estava no prato* e *Minha família adora comer*. Imediatamente depois vem a brigada da biologia: *Tenho ossos grandes, está nos meus genes* e *Sou viciado em açúcar*. Elas continuam a vir: a brigada "do jeito que é" (*Odeio fazer exercício, Adoro comer, sou italiano!*); a brigada da logística (*Trabalho demais, não tenho tempo suficiente*); e a brigada de "a culpa é dos outros" (*O meu parceiro não me apoia, Os meus filhos ocupam demais o meu tempo, Ninguém me ensinou a ser saudável*); e assim as coisas continuam, ininterruptamente.

Não estamos argumentando que qualquer uma dessas razões é verdadeira ou falsa, válida ou inválida. Todas as pessoas têm uma opinião a respeito de como vieram a ser como são, e não estamos contestando a sua opinião com relação a como você veio a ser você. Mais exatamente, nós só queremos que você examine um processo: a incrível capacidade que a sua mente tem de gerar razões.

Agora, vamos investigar isso um pouco mais a fundo. Tente permanecer com a experiência, mesmo que a sua mente resista, o que ela provavelmente fará. Recapitule as razões que você gerou e veja se consegue agrupá-las em brigadas no seu diário. Você pode usar as categorias que relacionamos ou criar as suas. Numere-as, por exemplo "Brigada 1: História", e depois relacione todas razões que se encaixam nessa categoria. Em seguida, avance para a seguinte. Procure escrever listas abrangentes. Vá em frente e faça isso agora.

✳ ✳ ✳

A sua mente tem facilidade para gerar razões? Apostamos que isso é bem fácil para ela. É provável que você possa prosseguir indefinidamente. Agora, tente o seguinte: pense nas razões que você tem para perder peso – ter uma saúde melhor, melhorar a sua aparência, se sentir melhor, participar de atividades de que você gosta, melhorar a intimidade, estar vivo para conviver com os seus netos. Escreva o título "Razões para perder peso" no seu diário e em seguida relacione as melhores razões que lhe venham à mente. Vá em frente e faça isso agora.

✳ ✳ ✳

Alguma coisa parece estranha aqui? A sua mente parece ter uma capacidade incrível de gerar um sem-número de razões. E você parece já ter poderosas razões para viver de uma maneira mais saudável. Se as razões realmente causassem o comportamento, todas as pessoas não deveriam já ter um peso saudável?

Temos uma proposta: e se você afrouxasse o seu apego às razões? A sua mente vai gerar muitas delas, algumas a favor de fazer uma determinada coisa, outras contra. E depois cabe a você decidir se razão específica o ajuda ou não a avançar em direção ao que você deseja na vida. Se não ajuda, você pode simplesmente deixar essa razão de lado. Apenas olhe para ela desapaixonadamente, como se ela fosse uma placa ao longo da estrada. Repetindo: não argumentamos aqui que qualquer razão específica é verdadeira ou falsa. Essa não é a questão. A questão é se concordar com ela é proveitoso.

Agora observe se você tem um forte apego a algumas dessas razões. Você consegue ouvir a sua mente dizendo. M*as esta aqui é verdadeira; ela é autêntica*? Faça um registro mental disso. Esses serão pensamentos mais pegajosos, mais difíceis de observar apenas como pensamentos ou ecos da sua história. Quando você notar um apego a qualquer razão considerada, pergunte a si mesmo se concordar com ela o ajudou a seguir adiante na vida. Ela o ajudou a se aproximar do estilo de vida mais saudável que você realmente deseja? Concordar com essa razão o ajudou a encontrar mais vitalidade e significado na vida ou o resultado foi exatamente o oposto? Talvez você possa adotar uma nova postura com relação às razões que a sua mente gera, deixando que fiquem presentes sem que você tenha de se comportar de uma maneira compatível com elas.

É você, não as suas razões, que controla como escolher o que fazer com o seu comportamento. Por exemplo, você pode ter o pensamento *Sou viciado em açúcar* e ainda assim tomar medidas para mudar a sua relação com a comida. Você não precisa fazer esse pensamento ir embora ou desaprová-lo, tampouco tem de concordar com ele se isso não o ajudar a mudar o seu comportamento da maneira que deseja. Para ajudá-lo a se livrar desse tipo de pensamento, que chamamos de pensamento pegajoso, escolha um deles agora. Anote-o no seu diário e depois complete as seguintes frases:

Se eu concordasse com essa razão, eu...

Se eu escolhesse me dedicar ao que é importante para mim embora essa razão estivesse presente, eu...

As regras da mente

O jogo de palavras em "as regras da mente" é intencional neste caso.[1] Podemos sentir de tempos em tempos que a nossa mente nos governa, não raro porque ela gera uma grande quantidade de regras. Algumas das que se seguem parecem familiar?

- *Tenho de comer tudo o que está no prato.*

- *Sempre que vou a uma festa tenho de comer alguma coisa.*

- *Preciso me sentir mais confiante (no controle, mais feliz) para persistir em ter hábitos saudáveis.*

---

[1] A frase em inglês, *the mind rules*, no original, pode significar tanto as regras da mente quanto a mente governa. (N. dos trads.)

- *Não posso me exercitar de manhã (à noite, quando está frio...).*

- *Não posso malhar na frente de outras pessoas.*

A sua mente, como a de todas as outras pessoas, provavelmente gera muitas regras. Às vezes, estas são proveitosas (*Olhe para os dois lados antes de atravessar a rua*). Mas assim como as razões, as regras também podem ser improdutivas, e o fato de elas serem ou não proveitosas pode depender do contexto. As regras são a nossa mente dizendo: *Não, não vou me curvar a você!* Essa rigidez pode sabotar as suas tentativas de viver uma vida mais saudável.

EXERCÍCIO
▷▷ **Identifique as regras**

Assim como na abordagem das razões, vamos guiá-lo na identificação das regras improdutivas que a sua mente lhe fornece. Neste caso, você vai gerar uma lista das regras de "maior sucesso" da sua mente para saber com o que você está lidando. Abra o diário e escreva o título "Regras da mente" e em seguida relacione o maior número possível de regras que a sua mente lhe fornecer, quer ou não elas sejam proveitosas. Vá em frente e faça isso agora; escreva durante mais ou menos cinco minutos.

✳ ✳ ✳

Agora pergunte a si mesmo se seguir essas regras o está ajudando a se aproximar mais de uma vida dinâmica e satisfatória. Isso está fazendo com que você siga em frente? Se a resposta for não, talvez você possa reconhecer que, assim como no caso das razões, a sua mente é muito competente em gerar regras. Repetindo: a sua mente acha que o está ajudando. A sua tarefa é reconhecer quais regras o ajudam a viver a vida que você deseja levar e depois entrar em ação com o seu comportamento. Portanto, pegue a lista que você acaba de gerar e reescreva-a, dividindo as regras em duas listas, "Proveitosas" e "Improdutivas", e deixando um pouco de espaço entre elas. Para cada regra improdutiva, relacione uma ou duas maneiras de se comportar que sejam *incompatíveis* com a regra e mais compatíveis com um estilo de vida saudável. Vá em frente e faça isso agora, escrevendo durante cinco a dez minutos.

❊ ❊ ❊

Agora escolha uma dessas regras improdutivas e identifique uma situação na qual sua mente provavelmente fará você se lembrar dessa regra, oferecendo-lhe a oportunidade de praticar observando-a e agindo de uma maneira incompatível com ela, em prol de um estilo de vida mais saudável. Por exemplo, se a regra for *Preciso comer tudo o que está no meu prato*, exercite-se indo a um restaurante, escolhendo um prato e comendo apenas a metade dele. Se isso parecer impossível, agradeça gentilmente à sua mente por esse pensamento e depois opte por praticar mesmo com as constantes interrupções dela. Do mesmo modo, se a regra for *Não posso me exercitar de manhã*, vá em frente e exercite-se de manhã. Então repare como sua mente fica irritada enquanto você faz isso. O segredo é deixar que a mente faça o que tem de fazer – lamentar-se, queixar-se e lhe dizer que você não pode fazer isso – e abrir espaço para toda essa tagarelice em prol de se comportar de maneiras importantes para você. Para se lembrar e garantir que vai persistir, escreva a atividade que escolheu em uma ficha e coloque-a em um lugar no qual você a veja com frequência. Vá em frente e escreva a regra e a atividade que você vai realizar.

A máquina de "eu não posso"

Às vezes parece que, quando estamos mais vulneráveis, a nossa mente pode se transformar em máquinas de "eu não posso". Quando estamos cansados, exaustos, estressados ou tristes e precisamos de uma ajuda adicional para permanecer rumo um estilo de vida saudável, parece que a nossa mente se mostra especialmente propensa a nos desapontar com pensamentos como *Eu simplesmente não consigo mais fazer isso, Não posso fazer isso hoje, Não posso deixar de comer a sobremesa nesta festa, Não posso preparar as refeições antecipadamente*. Você poderá até mesmo se pegar repetindo esses pensamentos em voz alta: "Oh, eu simplesmente não consigo/posso... (complete o pensamento)".

EXERCÍCIO
▷▷ **Enfraqueça a máquina de "eu não posso"**

Experimente este jogo. Abra o seu diário e escreva o título "O que a minha mente me diz que eu não posso fazer. Repare em coisas que surgiram recentemente e em algumas que são velhas, familiares, e aparecem com frequência. Vá em frente e faça isso agora.

✻ ✻ ✻

Ok, antes de continuar, queremos enfatizar que este exercício tem apenas um propósito ilustrativo. Por favor não o leve excessivamente a sério!

Dê uma olhada na lista e pergunte a si mesmo o seguinte: se a pessoa que você mais ama fosse sequestrada neste momento e a vida dela dependesse de você fazer as coisas que relacionou, você conseguiria fazê-las? Por exemplo, se uma das frases familiares de "eu não posso" for *Não posso me exercitar esta noite porque estou muito cansado*, você conseguiria, de fato, se exercitar se alguém com quem você se importa dependesse disso? O nosso palpite é que, na vasta maioria dos casos, a sua resposta seria: "Você está brincando? É claro que sim, eu me exercitaria!". Se houver alguma coisa na sua lista que você genuinamente não poderia (ou não conseguiria) fazer, nem mesmo nessa circunstância, trata-se de uma impossibilidade autêntica. Mas, na grande maioria das vezes, as coisas da lista "eu não posso" se encaixarão em categorias como "poderia fazer, mas não quero, não estou a fim" ou "seria desagradável".

Ok. Agora que esclarecemos isso, na próxima vez em que você se encontrar em uma situação do tipo "eu não posso", pergunte a si mesmo se ela passa no teste do sequestro. Com frequência ela não passa.

No entanto, esta é a cilada: a sua mente não vai parar de dizer *Eu não posso*. Ela é uma máquina de "eu não posso". Ela é tão bem treinada e tão voltada para o conforto a curto prazo, que não conhecemos nenhuma maneira de fazer com que ela pare de lhe dizer *Eu não posso* e passe a dizer *Eu posso*. Se você esperar que isso aconteça, poderá esperar para sempre. Sendo assim, você tem de aprender a mudar a maneira como se relaciona com o *Eu não posso*. Você pode começar reparando em quando a sua mente entra no modo "Eu não posso". Quando isso acontecer, imagine que a sua mente é uma máquina de "Eu não posso", lembre-se de que ela é possivelmente o pior orador motivacional do mundo e use qualquer outro exercício deste capítulo que o ajude a obter alguma distância dos seus pensamentos, como vê-los em cartazes.

O problema não é a sua mente lhe dizer *Não posso fazer isto*; o problema é não enxergar *Eu não posso fazer isto* como um pensamento. Assim como qualquer outro pensamento, você não precisa concordar com ele, se comportar de uma maneira compatível com ele, nem mesmo modificá-lo. Dê um passo atrás com relação aos seus pensamentos, volte-se para aquilo com que você se importa agora e no futuro e faça uma escolha saudável a respeito de como se comportar, mesmo quando *Eu não posso* estiver presente.

Você pode praticar isso de uma maneira muito simples. Pegue uma caneta e ande em volta do quarto repetindo para si mesmo: *não consigo andar carregando esta caneta*. Faça isso agora, durante dois minutos. Na próxima vez em que você malhar, faça a mesma coisa; diga a si mesmo, por exemplo, *Não posso caminhar* enquanto estiver caminhando. Veja se você consegue romper a conexão entre os pensamentos e as ações para que, mais tarde, você consiga se libertar mais facilmente de pensamentos pegajosos do tipo "Eu não posso".

A mente contra-ataca!

A sua mente pode estar lhe dizendo: *mas algumas vezes os meus pensamentos são verdadeiros!* Você pode observar isso como um pensamento, mas há uma questão mais ampla aqui. Na medida em que você se relaciona com os seus pensamentos como sendo verdadeiros, você está à mercê da sua mente. Um pensamento como *Preciso trabalhar com mais empenho* pode ser útil para você em determinada situação, em um momento específico; mesmo assim, você pode observá-lo como um pensamento, algo que a sua mente fornece. Relacionar-se com ele como sendo verdadeiro e acreditar sinceramente nele o manterá preso em um ciclo de comportamento a longo prazo. É por esse motivo que frequentemente dizemos aos clientes: "Não acredite na sua mente!". Acreditar na mente foi o que, para início de conversa, o trouxe até aqui.

Você pode reparar nos seus pensamentos e optar por se comportar de uma maneira compatível com os que são proveitosos, mas tome cuidado com o impulso de validá-los como verdadeiros com um V maiúsculo. Uma vez feito isso, você também terá de invalidar os pensamentos considerados falsos, e então você estará novamente emperrado nos seus pensamentos. Você também terá caído novamente na armadilha do preciso de conserto, em que é necessário mudar ou se livrar dos pensamentos de que você não gosta para então viver da maneira que deseja. Não caia nessa armadilha.

Esta abordagem se aplica até mesmo às palavras desta página. Não acredite em nada que você ler aqui. A crença é uma parte do problema. Faça simplesmente o que funciona para você a fim de avançar em direção a uma vida saudável. Se um pensamento for proveitoso, use-o; se não for, observe-o, abra espaço para ele e depois vá para onde você quer ir. Faça o que é importante para você quer os seus pensamentos se harmonizem com isso, quer não. Você está confuso? Ótimo! A confusão, a pausa, ver as coisas com perspectiva e observar são ferramentas proveitosas que nos ajudam a nos libertar dos nossos pensamentos.

Recomendamos que você pergunte com frequência a si mesmo se você está se deixando convencer por pensamentos improdutivos. Use essa questão como uma maneira de se relacionar com o momento presente – dando um passo atrás para observar o processo de pensar, se libertar e mudar a sua relação com a sua mente e com os pensamentos que ela apresenta. Essa questão pode ser uma deixa para que você aplique tudo o que aprendeu neste capítulo. Recomendamos manter um registro dos seus pensamentos improdutivos e de quaisquer anseios que o façam agir motivado por eles. Ao longo do dia, apenas verifique consigo mesmo e pergunte: *Estou me deixando convencer por pensamentos improdutivos?* Se você tiver um *smartphone*, ponha o alarme para tocar a cada duas horas com essa pergunta aparecendo. Você poderá ficar surpreso com o quanto esse breve lembrete pode ser útil.

Avançando mais

Esta seção contém dois exercícios concebidos para ajudá-lo a modificar a sua relação com os seus pensamentos, a se libertar deles e se tornar mais plenamente consciente do processo do pensamento, em prol de viver de uma maneira mais compatível com seus valores e suas metas.

EXERCÍCIO DE PRÁTICA PROLONGADA
▷▷ Observe a balança mentirosa

Pesar-se regularmente pode ser muito útil para as suas tentativas de perder peso. Embora correndo o risco de afirmar o óbvio, você precisa da informação que a balança fornece para determinar se a sua ingestão de calorias e a sua produção de energia estão em equilíbrio. Em outras palavras, se o número na balança estiver aumentando, você precisa fazer ajustes. Ter essa informação é útil. No entanto, você provavelmente já passou pela experiência de ter medo desse número. É como se ele confirmasse ou invalidasse completamente tudo o que você está fazendo. Na realidade, não houve muitas mudanças. Você apenas obteve algumas informações que pode usar. Mas a balança parece estar dizendo muito mais para você, coisas como *Você é repulsivo, gordo, horrível e fraco!* É como se você subisse na balança e, em vez de um número, ela simplesmente dissesse "gordo". Nós a chamamos de "balança mentirosa".

A balança não pode lhe dizer nada a respeito do seu valor como pessoa, do que é importante para você ou se você está vivendo bem ou mal a sua vida. Ela apenas lhe fornece um número. O resto é projetado na experiência pela sua amiga, a mente. E além de quaisquer insultos que ela possa lhe dirigir, ela também pode dizer: *Dane-se! Isto é completamente inútil. Para mim chega!* Este é um bom momento para agradecer à sua mente por ela estar tão envolvida com o seu bem-estar ao mesmo tempo em que você também repara que ela é um péssimo orador motivacional.

Uma maneira de obter a informação de que você precisa sem se deixar convencer por todo o contrassenso é simplesmente subir na balança mentirosa e observar o que aparece nela além dos números. Procure se pesar diariamente durante uma semana e manter um registro dos pensamentos que a sua mente apresenta. O que a sua mente diz quando você sobe na balança? Visualize os pensamentos que surgem em uma balança perversa empenhada em ridicularizá-lo e desviá-lo do seu rumo. Isso poderá ajudá-lo a encarar essas mensagens como um conteúdo improdutivo da sua mente, em vez de fatos. Escreva no seu diário o título "A balança mentirosa" e desenhe um calendário com sete dias debaixo dele. A cada dia, suba na balança mentirosa e repare no que ela está dizendo para você. Anote o que ela disser, quer os pensamentos sejam proveitosos ou improdutivos.

EXERCÍCIO DE PRÁTICA PROLONGADA
▷▷ **Quebre as regras**

Esta prática é uma extensão do exercício "Identifique as regras" apresentado anteriormente neste capítulo. Às vezes, a única maneira de romper o apego a uma regra é quebrá-la deliberadamente. Escolha uma regra que você sente necessidade de seguir. Talvez você pense não poder usar meias que não combinem ou vestir roupas marrons e pretas juntas. Seja qual for a regra, vá em frente, quebre-a e veja se os resultados são catastróficos.

Experimente também esta prática com a comida e escolhas relacionadas com a sua saúde e o seu peso. Você pode, por exemplo, preparar um grande prato apenas de legumes e verduras para o jantar – uma grande quantidade deles, preparados de uma maneira saudável e deliciosa. Você acha que não pode fazer isso porque não é um jantar de verdade? Se for esse o caso, faça-o e veja o que acontece. Outros exemplos seriam tomar um café da manhã saudável no jantar ou ir até a academia e malhar em um horário em que você acredita não pode malhar de jeito nenhum.

Tente quebrar algumas dessas regras apenas por quebrá-las. Esta não precisa ser uma prática regular, mas dedique-se a ela o bastante para ficar um pouco menos preso a regras de um modo geral. Para se lembrar desta prática, escolha as regras que você deliberadamente vai quebrar ao longo da próxima semana e anote-as em uma ficha. Guarde a ficha com você ou coloque-a em um lugar onde você vá vê-la com frequência.

Resumo

Vivemos em um constante fluxo de pensamentos. Se não estivermos conscientes disso, eles poderão nos empurrar de um lado para o outro. No entanto, tentar controlar os pensamentos pode ser difícil, e pesquisas sugerem que essa talvez não seja uma maneira eficaz de lidar com os pensamentos indesejados. Tentar mudá-los ou corrigi-los conduz à armadilha do preciso de conserto, que reduz ainda mais a possibilidade de você viver uma vida dinâmica, satisfatória e saudável. Se, em vez disso, você se exercitar tornando-se mais consciente dos pensamentos e observando-os simplesmente como pensamentos, você poderá modificar a sua relação com eles e se concentrar mais no que você quer fazer com o seu comportamento.

Capítulo 4

Como escolher uma vida saudável mesmo quando isso for difícil

Dan tinha uma vida estressante. Além de ser professor do ensino fundamental, ele trabalhava como prestador de serviços fazendo a manutenção de programas tecnológicos de aprendizado para escolas. Além disso, era casado e tinha três filhos. Dan era, como ele mesmo se descrevia, uma "bola de estresse". Ele sentia como se estivesse sendo puxado e empurrado em todas as direções. Diariamente ele se perguntava como tinha conseguido chegar ao fim do dia. Era como um carrossel descontrolado, e ele não tinha como pular fora.

O limitado tempo ocioso de Dan era tarde da noite, depois de ter feito todo o seu trabalho e a família estar acomodada. A sua rotina noturna de relaxamento incluía comer e assistir à televisão. No entanto, quando ele começava a comer, tinha dificuldade em parar. A cada dia, depois de uma rodada de grande atividade, ele precisava novamente do seu período de relaxamento noturno. Com o tempo, esse hábito fez com que ele engordasse muito. Dan se sentia oprimido. Ele não queria se sentir assim, mas não sabia o que fazer.

Dan estava lutando contra um problema que muitas pessoas enfrentam (entre elas os autores deste livro): a comida emocional. Esse é um claro exemplo da armadilha do preciso de conserto. Comemos especificamente em busca de conforto ou alívio, ou para gerar sentimentos mais agradáveis ou toleráveis, mesmo que apenas por pouco tempo. Por exemplo, se você come uma coisa muito saborosa quando está triste, como *cookies* ou bolo, você pode estar tentando mudar o seu estado emocional com o prazer imediato da comida. Ou talvez você pare para comprar *fast-food* a caminho de casa depois de alguém ter-lhe feito um comentário crítico na academia ou o seu chefe ter "pegado no seu pé". Você pode nem ter consciência da frequência com que isso acontece.

A alimentação emocional carrega uma mensagem na sua essência: *O que estou sentindo não é nada bom, e preciso fazer alguma coisa para me sentir melhor.* Isso é perfeitamente compreensível. Ninguém deseja se sentir insatisfeito, independentemente da forma que esse sentimento possa assumir (estresse, tristeza, ansiedade, tédio e assim por diante). E todos sabemos que a comida deliciosa (e com frequência pouco saudável) está quase sempre disponível, em geral com um mínimo esforço e pouco custo. É compreensível que as pessoas tenham a tendência de se voltar para a comida quando se sentem emocionalmente inseguras ou confusas.

Não se preocupe, seja feliz!

Durante um longo tempo, na realidade até os dias de hoje, a pedra angular da terapia tem sido ajudar as pessoas a parar de se sentir tristes, estressadas, deprimidas ou ansiosas. A mensagem era clara: essas emoções são anormais ou indesejáveis, e o objetivo da vida é reduzi-las ou eliminá-las, o que supostamente causaria mais felicidade. No entanto, o psicólogo Steven Hayes fez uma interessante observação: é muito difícil nos sentirmos bem o tempo todo.

Hayes e seus colegas realizaram uma série de estudos sobre a evitação experiencial. Em uma linguagem clara e objetiva, a evitação experiencial envolve fazer alguma coisa para evitar, mudar ou controlar os sentimentos. Ela também é chamada de evitação emocional. Hayes e seus colegas descobriram que, quanto mais as pessoas se envolvem com a evitação, mais problemas elas informam ter com os mais diferentes tipos de coisa. Em geral, elas estavam mais deprimidas, mais ansiosas, menos produtivas no trabalho, mais perturbadas por sintomas de dores físicas e assim por diante; além disso, costumavam ter uma qualidade de vida mais insatisfatória. (Hayes *et. al.*, 2004). É por esse motivo que a armadilha de preciso de conserto é uma armadilha: quando tentamos controlar o que está acontecendo dentro de nós, podemos, na realidade, piorar as coisas.

Isso conduziu a uma simples, porém profunda, revelação: e se o problema não for a dor emocional? E se o problema forem as tentativas de evitar ou escapar da dor? E se for isso que realmente nos faz ficar emperrados na vida? A ACT se origina, em parte, dessa descoberta. E, de fato, em estudo após estudo, a ACT ajudou pessoas a se tornarem menos evitantes, e, à medida que isso acontece, elas não raro se tornam mais eficientes em viver de uma maneira dinâmica e satisfatória (Hayes *et. al.*, 2006).

A abordagem da ACT

Uma das principais lições da ACT pode ser resumida nesta simples declaração: de um modo geral, todos podemos nos beneficiar ficando um pouco mais à vontade com o estar insatisfeitos. Essa declaração parece idiota? Vamos examiná-la. Quando tentamos evitar ou mudar a maneira como nos sentimos, em essência estamos dizendo: *não consigo suportar sentir o que estou sentindo*. Não conseguimos (ou não queremos) suportar esse sentimento presumivelmente porque ele é de alguma maneira desagradável – um afastamento de um estado emocional positivo (ou pelo menos neutro ou tolerável). No entanto, se você gastar a maior parte da sua limitada e preciosa energia lutando contra o que você sente, não lhe sobrará muita energia para aplicar nas coisas importantes e no que você deseja na vida.

Você pode se perguntar como será capaz de deixar de tentar controlar como você se sente e passar a fazer o que é importante para você. A solução é simples, embora difícil: você pode se mostrar *disposto* a sentir as coisas. Vivencie quaisquer emoções que surjam, exatamente como elas são. É isso aí. É o que queremos dizer com ficar um pouco mais à vontade com o estar insatisfeito. Se você estiver disposto a ficar insatisfeito, poderá notar quando estiver se sentindo estressado sem precisar concentrar a sua energia em fazer esse sentimento ir embora, o que o deixa livre para gastar a energia naquilo que é realmente importante para você. Você pode, por exemplo, estar estressado e ainda assim se exercitar. Do mesmo modo, você pode notar que está triste e não fazer questão de se sentir melhor para poder interagir com amigos ou lidar com uma tarefa difícil.

Embora seja simples dizer isso, é claro que fazer não é tão simples. Primeiro, você precisa se aprofundar mais na maneira como você se relaciona com os seus sentimentos.

EXERCÍCIO
▷▷ Reconheça uma velha amiga

Este exercício o ajudará a desenvolver a aceitação de sentimentos difíceis (Walser e Westrup, 2007). Comece pensando em uma emoção familiar, desagradável – emoção essa que surgiu um sem-número de vezes na sua vida, frequentemente quando você menos queria que isso acontecesse. Talvez seja a ansiedade, a vergonha, a culpa ou a tristeza. Qualquer que seja, veja se consegue apenas entrar em contato com essa emoção. Escreva no seu diário o título "Minha velha amiga" e, debaixo dele, anote as suas respostas às seguintes perguntas.

Qual foi a primeira experiência em que você recorda ter sentido essa emoção ou algo muito semelhante? (Eis um exemplo: "Vergonha: a primeira vez que a senti foi quando eu era bem pequeno, mas não tinha a ver com meu corpo na ocasião. Lembro-me de ter sido punido pelos meus pais e me sentido envergonhado.")

Agora, calcule rapidamente a idade dessa emoção. Se você tem 50 anos e consegue se lembrar de ter sentido essa emoção aos 7, ela tem cerca de 43 anos. Qual a idade da emoção que você anotou?

O nosso palpite é que a emoção recua à sua infância. Ela é como uma velha e conhecida parceira – talvez indesejada, mas mesmo assim uma parceira – que o tem acompanhado praticamente a vida inteira. É uma companheira de viagem.

Muitas vezes, enquanto você percorria o trajeto da sua vida, ela estava ao seu lado. Pedimos que você se refira a essa emoção como "minha velha amiga" – não para denotar que você gosta dela, e sim para reconhecer a sua intimidade com ela. Chamá-la de "velha amiga" também tem o benefício de mudar a maneira como você se relaciona com essa emoção, dissolvendo o que é provavelmente a sua dinâmica típica: desejar desesperadamente mudá-la ou se livrar dela. Quer você goste, quer não, ela já está com você há bastante tempo e aparecerá novamente no futuro.

Apesar das mensagens da sociedade que afirmam o contrário, a felicidade constante não é normal. Nenhuma quantidade de dinheiro, sucesso, atratividade ou qualquer outra coisa conseguirá isso. Algumas das pessoas mais bem-sucedidas são interiormente angustiadas. Algumas das pessoas mais bonitas desprezam o próprio corpo. Algumas das mais ricas levam uma vida vazia. Se pensar em pessoas que você conhece, provavelmente perceberá que elas se debatem em pelo menos algumas áreas da vida, é possível que em muitas.

Por um momento, pense sobre o seguinte: todos os seres humanos neste planeta, todos eles, têm uma emoção demasiadamente familiar indesejada ou desagradável – ou duas... ou três... ou mais ainda. Eles têm sentimentos dolorosos que são bastante antigos e que continuam a surgir de tempos em tempos.

Na realidade, a dor emocional é uma das poucas experiências humanas verdadeiramente universais. Ela é, de fato, bastante normal. Não existe praticamente nenhuma maneira de evitar o desapontamento, a mágoa e a perda – a não ser que você nunca tente fazer nada, nunca se torne íntimo dos outros e não tenha família ou amigos. Essa não é bem uma vida abundante ou significativa. E mesmo que você pudesse viver em um casulo protetor, ainda assim você enfrentaria experiências dolorosas aleatórias. Você pode estar pensando: *Puxa, isso é muito deprimente.* Garantimos que temos um destino certo, então permaneça conosco. Continue a escrever no seu diário, trabalhando com a emoção que você identificou há pouco e respondendo às perguntas seguintes.

Onde, quando e como essa emoção surgiu na sua vida? (Eis um exemplo: "Tenho vergonha do meu corpo. Ela aparece quando eu subo em uma balança, me olho no espelho, vou à academia, compareço a eventos sociais e sou alvo de insultos sutis dos meus colegas de trabalho e também durante os momentos de intimidade com o meu parceiro.")

O que você fez na sua vida para tentar escapar ou evitar essa emoção, modificá-la ou fazer com que ela fosse embora? (Eis um exemplo: "Eu evito a balança e o espelho. Só vou à academia nos horários em que sei que poucas pessoas estarão lá. Parei de dançar. Como sozinha no trabalho. Raramente faço sexo com o meu parceiro. Quando sinto vergonha, como alimentos reconfortantes, assisto à televisão para me desligar e me afasto dos amigos e da família. Às vezes, antes de me expor, eu me ridicularizo preventivamente".)

Dê uma boa olhada na lista de coisas que você tentou. Tendo em vista todos os seus esforços, você conseguiu eliminar permanentemente essa emoção? É provável não. (Se conseguiu, você precisa escrever um livro descrevendo como fazer isso!) Partimos do princípio de que você é uma pessoa inteligente e razoável. Pressupomos que você tenha resolvido, com sucesso, muitos problemas na sua vida. Se você chegou até aqui, você é provavelmente muito competente na resolução de problemas. E no entanto aqui está você com uma emoção indesejada da qual não consegue se livrar de modo permanente. Parece que você não consegue corrigir esse problema.

A questão é: os seus sentimentos de fato precisam ser corrigidos? Tratar a si mesmo e as suas emoções como sendo defeituosos é uma maneira de viver com compaixão? Essa é uma maneira eficaz de se dedicar ao que é importante para você? A escolha é sua, mas sugerimos que tratar a si mesmo desse jeito é uma armadilha do preciso de conserto. Agir desse modo provavelmente conduzirá a mais, e não menos, sofrimento, e a mais, e não menos, interferência quando você tentar viver a sua vida. Na próxima seção, vamos examinar por que esse é o caso.

O custo da evitação

Examine o que você escreveu ao responder às perguntas do exercício anterior. Ao longo dos anos, essa emoção se tornou uma parte maior ou menor da sua vida? Ao refletir sobre a pergunta, observe todas as áreas afetadas por essa emoção. Usando o exemplo anterior, talvez no esforço de controlar a vergonha com relação ao seu corpo você tenha começado a usar roupas maiores e evitado namorar, mas agora nota que a vergonha atinge áreas como a sua competência no trabalho, as tarefas ou os desafios que você assume, o que você está disposto a fazer para se divertir (por exemplo, você pode optar por não dançar ou ir à praia), como você se relaciona com os membros da família e a sua disposição de iniciar ou participar de atividade sexual. Desse modo, mesmo que você sinta vergonha com menos frequência, ela pode ter aumentado do ponto de vista da influência exercida no que você faz – e, o que é mais importante, no que você deixa de fazer. Se você é como a maioria das pessoas, essa emoção se tornou uma parte maior da sua vida.

A evitação pode se transformar em um ciclo vicioso. Digamos, por exemplo, que alguém dirigiu um insulto ao seu corpo. Você pode estar se sentindo um pouco triste, talvez zangado e quem sabe até um pouco envergonhado. O insulto aconteceu a você; você não o escolheu, e agora um conteúdo emocional está se manifestando. Esse é um exemplo de por que a dor emocional é inevitável. Você simplesmente esbarra nela enquanto leva a vida.

Uma vez que o conteúdo emocional esteja presente, você tem uma escolha a respeito de como vai responder ao fato de se sentir insatisfeito. Se você costuma tentar evitar a dor emocional, poderá fazer alguma coisa de imediato para tentar mudar ou escapar de como está se sentindo. Você pode beber, agredir alguém, se desligar assistindo à televisão ou simplesmente se afastar dos outros. As pessoas que têm problemas com a comida frequentemente optam por comer. Isso proporciona uma sensação de prazer imediata que é ainda mais intensa quando sentimentos indesejáveis estão presentes. Faz sentido voltar-se para a comida quando emoções indesejadas estão presentes. A comida nos faz sentir bem – daí o termo "comida de conforto" (ou comida que conforta).

Mas o que acontece depois que você come? Você pode sentir culpa ou vergonha, às vezes quase que de imediato. Você pode julgar a si mesmo, dizendo *O que há de errado comigo!* ou *Sou repulsivo*. Você pode se sentir derrotado e pensar: *Simplesmente não consigo fazer isso. Eu desisto.* Sendo assim, você agora tem um novo conteúdo com o qual lidar. Mas esse conteúdo não apareceu apenas por causa da vida; ele apareceu devido à maneira como você escolheu reagir ao conteúdo original, à dor emocional do insulto. Foi a própria evitação que criou essa nova camada de conteúdo emocional indesejado. Aqui reside o ciclo vicioso. Porque o que você pode tentar fazer para mudar ou escapar de todo esse novo conteúdo emocional? Bem, você pode comer de novo ou talvez fazer outra coisa que não respalde as suas metas saudáveis, como abandonar a dieta, evitar a balança e a academia e assim por diante. A armadilha do preciso de conserto novamente se manifesta. Quanto mais você tenta controlar os seus sentimentos, mais você cria experiências indesejadas e desagradáveis, aprofundando o ciclo.

Gostaríamos de chamar a sua atenção para duas coisas importantes a respeito desse ciclo. Primeiro, a evitação tende a funcionar, mas apenas no curto prazo. Quando você come *cookies*, bolo, pizza ou batata frita, ocorre, *de fato*, um prazer imediato – isso faz com que você se sinta melhor. Lembre-se disso. Nós não fazemos essas coisas por acaso; nós as fazemos porque elas proporcionam pelo menos um conforto ou alívio temporário. O problema é que esse conforto é efêmero. E fazer algo pouco saudável não raro prepara o terreno para que outras experiências emocionais dolorosas surjam mais tarde.

Segundo, à medida que você passa a ter mais comportamentos de evitação, o ciclo não apenas continua, ele também cresce. Imagine que as suas emoções indesejadas são como um filhote bonitinho de *Tyrannosaurus rex*. Ele é um pouco menor do que a sua cabeça. Os dentes dele mal conseguem morder um bolinho. O filhote de *T. rex* se aproxima e rosna um pouquinho, e, preocupado, você decide alimentá-lo com um pouco de carne para ver se ele o deixa em paz. À medida que você o alimenta, ele cresce e passa a ranger os dentes e rugir. Você precisa conseguir cada vez mais carne porque ele está crescendo cada vez mais. Você não pode parar de alimentá-lo, porque ele range os dentes e ruge o tempo todo agora. Pode dar a impressão de que ele pode feri-lo, mas ele nunca fez isso; ele tem muito medo de que você pare de alimentá-lo.

EXERCÍCIO
▷▷ **Desenhe o seu *T. rex* emocional**

Vamos lhe pedir agora para fazer uma coisa tola. Imagine qual poderia ser a aparência do seu *T. rex* e o desenhe no seu diário. Agora, insira-se na figura (um boneco palito serve, se você não tiver uma inclinação artística), ao lado do monte de carne que você tem de continuar atirando para o *T. rex*. Escreva a emoção (por exemplo, "vergonha") no *T. rex* e escreva "evitação" no monte de carne. Em seguida, sobre o monte ou ao lado dele, relacione alguns dos comportamentos que você adota para evitar ou escapar das suas emoções. Vá em frente e faça o desenho agora. Essa ilustração pode servir de metáfora para como você fica preso no ciclo vicioso da evitação.

❋ ❋ ❋

Nós, humanos, sentimos tristeza, vergonha, culpa, ansiedade e outros sentimentos dolorosos ao fazer coisas para escapar deles ou evitá-los. (Isso equivale a alimentar o faminto *T. rex* para que ele fique quieto e nos deixe em paz.) Ao fazer isso, fortalecemos a necessidade de agir assim novamente no futuro. As nossas emoções exigem que evitemos ainda mais as situações que podem produzir insatisfação. Mais coisas então passam a fazer parte da zona proibida. O alcance da evitação se torna maior quando recorremos a ela. E mesmo quando nos tornamos cada vez mais competentes em evitar as coisas, as emoções dolorosas dão um jeito de se manifestar, só que com um poder adicional.

O importante é se divertir

Além de ser uma maneira de mitigar sentimentos desagradáveis, a alimentação emocional pode assumir outra forma: a alimentação alegre. Alguma vez você estava se divertindo com amigos e se sentiu impelido a comer demais? Você pode pensar: *Estou me distraindo tanto; sabe o que seria ainda melhor? Pizza! Sorvete!* ou *Estou me divertindo. Se eu me privar desta comida, já não estarei me divertindo tanto.* Este é o outro lado da comida emocional: querer fazer com que os bons momentos pareçam ainda melhores. É a sensação de que comer pode aumentar ou conservar os sentimentos positivos. Repare como isso também encerra a evitação. O desejo de se sentir melhor é uma mensagem de que, embora você esteja se sentindo bem agora, isso não é suficiente. O desejo de evitar sentimentos de privação é uma mensagem de que você não consegue suportar sentir o desconforto da privação nessa situação. De certa maneira, isso se reduz ao pensamento *só posso gostar do que está acontecendo se eu ceder a todos os meus desejos.* Mantenha isso em mente à medida que prosseguimos.

EXERCÍCIO

▷▷ Identifique as suas estratégias de evitação

Escreva um novo título no seu diário: "Evitação, desde o início". Em seguida, recue o máximo possível em seus pensamentos e descubra a sua mais antiga recordação de ter comido para influenciar a maneira como estava se sentindo, quer você estivesse buscando o prazer de comer ou tentando escapar de uma emoção desagradável. Escreva a respeito das suas mais antigas lembranças dessa ocorrência durante três a cinco minutos. Vá em frente e faça isso.

Agora veja se consegue identificar como o relacionamento entre a comida e os seus sentimentos se desenvolveu com o tempo. Veja se consegue determinar quando e de que modo a comida se tornou uma maneira de influenciar como você se sentia ou de escapar de algo desagradável. Escreva a respeito no seu diário durante três a cinco minutos.

Em seguida, volte ao passado e descubra a sua mais antiga lembrança de uma ocasião em que deixou de fazer uma coisa que realmente queria fazer porque estava receoso, ansioso ou preocupado com a maneira como os outros poderiam perceber você. Escreva a respeito no diário durante três a cinco minutos.

* * *

Veja agora se consegue identificar a sua história de deixar de se dedicar a atividades potencialmente importantes, satisfatórias ou essenciais a fim de se proteger do medo, da ansiedade ou do julgamento, seja de si mesmo ou dos outros. Podem ser coisas que você deixou de fazer ou atividades que você decidiu não tentar. Identifique o maior número possível de áreas em que isso se manifestou na sua vida ao longo dos anos. Por exemplo, talvez você tenha medo da rejeição e constate que se absteve de namorar, permaneceu em um emprego que detestava em vez de se candidatar a outro e deixou de participar de certas reuniões sociais com pessoas com as quais você não se sentia completamente à vontade. Relacione cada área em seu diário.

※ ※ ※

Agora leve alguns minutos desenhando um diagrama no seu diário. Escreva o que está tentando evitar no centro de uma nova página – por exemplo, "evitar a rejeição". Em seguida, trace linhas a partir de cada área da vida afetada por isso. Por exemplo, se querer evitar a vergonha o impede de ir à academia, escreva a palavra "exercício" e depois trace uma linha de "vergonha" para "exercício". Se evitar a vergonha o impede de iniciar o sexo com o seu parceiro ou procurar intimidade com outras pessoas, escreva "intimidade" e trace uma linha de vergonha para intimidade. Procure ser o mais meticuloso possível.

※ ※ ※

Se você for como a maioria das pessoas, o seu diagrama provavelmente revelará que a evitação das emoções tem repercussões em toda a sua vida. E se houvesse uma outra maneira? Você estaria disposto a tentar algo que vai contra os seus instintos naturais, uma coisa que o obriga a sair da sua zona de conforto, se isso significasse que você poderia modificar o modo como se relaciona com os seus sentimentos?

Abandone a luta

Abandonar uma agenda de evitação pode ser liberador. E se ao acordar hoje você não tivesse de controlar os seus sentimentos? Você deu um basta. O que quer que você sinta, é o que você sente, uma vez que você sabe que teve essas emoções a vida inteira e compreende que pode conviver com elas. Afinal de contas, você já fez isso durante um longo tempo. Mais importante ainda: e se você não tivesse mais de escolher o que fazer baseado em como isso poderia fazer você se sentir? O que poderia escolher fazer hoje? Quais são as coisas que têm estado em uma zona proibida para você?

Esta é a sua única vida, a sua única chance de fazer o que é importante para você, de interagir com as pessoas e tocar a vida delas, buscar conhecimento, crescer, rir e enfrentar desafios. Você pode fazer tudo isso, todos os dias, ao agir com disposição. Esse é o segredo para você abandonar a luta com as emoções.

Disposição significa simplesmente receber o que a vida lhe oferece. Quando você age na vida com disposição, você se permite sentir o que quer que esteja sentindo enquanto faz o que é importante para você. Você sentirá emoções – às vezes agradáveis, às vezes desagradáveis, às vezes neutras. Elas mudarão – às vezes esmorecerão rapidamente e às vezes irão perdurar.

Agir com disposição, o que requer estar um pouco mais à vontade com o estar insatisfeito, é uma escolha que o ajudará a avançar na vida. E você é levado a fazer essa escolha uma infinidade de vezes. O objetivo não é estar sempre perfeitamente disposto, e sim agir com disposição quando quiser fazer alguma coisa que seja realmente importante para você. Você pode agir com disposição para adotar um estilo de vida mais saudável e buscar o crescimento e a vitalidade. Para começar, apenas escolha agir com disposição com mais frequência do que você age agora. Vamos tentar dar um pequeno passo nessa direção.

EXERCÍCIO DE PRÁTICA PROLONGADA
▷▷ Acolha positivamente as emoções como velhas amigas

Leia todo o exercício antes de fazê-lo.

Comece fechando os olhos e praticando a atenção plena da respiração durante dois a três minutos para se centrar.

Em seguida, pense em uma emoção com a qual você costuma ter dificuldades. Veja se consegue agir com disposição apenas enquanto durar o exercício. Durante o exercício, é aceitável que você sinta o que quer que esteja sentindo. Pense em diferentes situações na sua vida em que essa emoção tenha se manifestado. Visualize algumas dessas situações, veja-se nelas, tanto na ocasião quanto agora, e repare no que está acontecendo nessas situações. Passe alguns momentos recordando essas memórias.

Em seguida, veja se consegue determinar em que lugar do corpo você está sentindo essa emoção. Talvez você a sinta na cabeça ou no estômago, ou ainda como tensão no pescoço. Concentre delicadamente a atenção em como essa emoção o faz se sentir e onde você a sente. Observe o quanto ela parece familiar. Você já sentiu essa emoção muitas vezes na sua vida e a conhece muito bem. Veja se consegue deixar que ela exista do jeito que ela é enquanto durar o exercício, sem tentar modificá-la ou fazer com que ela vá embora.

Comece respirando profundamente. Em cada inspiração, diga em voz alta (ou para si mesmo, se você não estiver em um local privado) "Seja bem-vinda" e em seguida o nome da emoção. Desse modo, se for a vergonha, diga: "Seja bem-vinda, vergonha". E em cada expiração, diga: "minha velha amiga". Faça isso de dois a três minutos: ao inspirar, "Seja bem-vinda, vergonha", e ao expirar, "minha velha amiga".

Ao se permitir simplesmente sentir o que você sente, você está dando um passo em direção à disposição. Você está dizendo: *Sim, posso ficar com você,* para as suas emoções. Você está dizendo: *Farei o que é importante independentemente de como eu me sinta.*

Volte sempre a esta prática. Com o tempo, é provável que você fique um pouco mais à vontade com a sua insatisfação.

O que você pode e não pode controlar

Pode ser difícil até mesmo ver como ou quando você pode escolher agir com disposição. Imagine que você está preso em uma sala cujas paredes são telas gigantes de televisão, e todas estão transmitindo a mesma coisa: as suas emoções. Desse modo, se você está amedrontado, alguma coisa assustadora está passando nas paredes de televisão. Se você está feliz, algo agradável está passando e assim por diante. Para qualquer lugar que você olhe, você vê as suas emoções.

Agora, imagine que há um controle remoto diante de você intitulado "Controle de emoções". Ele é grande e confuso. Tem muitos botões, e a maioria deles parece não servir para nada. No passado, quando havia alguma coisa nas telas de que você não gostava e que o incomodava, você tentava mudar de canal ou abaixar o volume. Quando alguma coisa divertida estava passando, você tentava permanecer nesse canal e aumentar o volume. Você passou muito tempo concentrado nesse controle remoto. Ele se assemelha a coisas a fazer. Mas a sua experiência não lhe diz que, em última análise, você não pode controlar o que está sendo transmitido na televisão?

Você tentou apertar todas as combinações possíveis de botões e, no entanto, na melhor das hipóteses, apenas ocasionalmente alcançou algum sucesso. Quando isso acontecia, você havia precisado passar um bom tempo apertando botões para chegar lá, às vezes horas ou dias. Quando você pensa ter descoberto a combinação e a sequência de botões corretas, de repente o controle para de funcionar. As suas emoções continuam a ir e vir, aparentemente sem mais nem menos, sendo exibidas em todas as paredes.

A qualquer momento, você pode optar por abandonar o controle remoto – desistir da luta. Isso seria agir com disposição. Quando você faz isso, o que está passando na televisão e o volume do som deixam de repente de ser tão importantes. Desde que você aja com disposição, a televisão fica livre para passar o que quer que seja. Um filme de terror assustador no volume máximo, por exemplo, o que poderia ser extremamente desagradável, mas se você estiver agindo com disposição, você não precisará mais passar tanto tempo com o controle remoto, tentando controlar as suas emoções.

Quando age com disposição e deixa que a televisão transmita os programas dela, a primeira coisa que você provavelmente perceberá é que a sala parece muito maior – há mais espaço do que você imaginava. Você tem bastante espaço para se deslocar e respirar.

O mais importante é que você fica livre para fazer o que quiser. Embora não tivesse consciência disso, há muitas outras coisas para fazer na sala além de ficar olhando fixamente para as telas de televisão. Há livros para ler, pessoas com quem conversar, equipamentos de exercícios, jogos e muito mais. Mesmo assim, você não consegue se afastar da televisão. Ela vai ficar ali transmitindo os programas que tiver de transmitir, às vezes com o volume alto, às vezes quase em silêncio, mas se você agir com disposição poderá optar por fazer outras coisas. Se, por outro lado, você gastar a maior parte da sua energia tentando controlar a televisão, você não será capaz de se dedicar a muitas outras atividades. Então, o que você vai fazer?

Existem muitas coisas na vida que não podemos controlar e algumas que podemos. Por exemplo, você não pode controlar a economia como um todo, mas pode controlar como gasta o seu dinheiro. Você não pode controlar as condições atmosféricas, mas pode controlar como se veste com base nelas. Você não pode controlar quando as pessoas vão lhe enviar *e-mails*, mas pode controlar quando vai lê-los e como vai responder.

Todas as coisas que podemos controlar têm algo em comum: envolvem o nosso comportamento. As coisas que não podemos controlar geralmente dizem respeito a outras pessoas ou forças da natureza. Não questionamos a nossa capacidade de controlar as forças da natureza. Tivemos muitas experiências que demonstraram não sermos capazes de controlá-las. As emoções são semelhantes; elas estão predominantemente fora do nosso controle. Mas, quando se trata das nossas emoções, temos a tendência de lutar – às vezes uma luta vitalícia, apesar da nossa experiência com relação à futilidade desses esforços. Agarramos o controle remoto e apertamos furiosamente os botões, desligando-nos da nossa vida enquanto isso.

Pense em alguém próximo de você que tenha lutado na vida. Você pode controlar a felicidade dessa pessoa? Claro que não. Essa pessoa pode controlar a própria felicidade? Se pudesse, ela simplesmente não escolheria ser feliz o tempo todo? Você acha que há alguma coisa errada com essa pessoa por ela não ser feliz? Provavelmente não. Mas e quanto a você? Você acha que existe algo errado com você por não se sentir feliz (contente, calmo, equilibrado, confiante, atraente e assim por diante)? O nosso palpite é que, às vezes, você pensa haver algo errado com você – ou pelo menos é o que a sua mente lhe diz.

Você não pode controlar a felicidade de uma pessoa querida; no entanto, pode controlar a maneira como você se comporta diante dessa pessoa – por exemplo, sendo delicado, carinhoso, solidário ou prestativo. E se você tiver escolha igual com relação a si mesmo? Você não pode controlar o que sente ou quando surgem as emoções, mas pode controlar o que faz quando vivencia sentimentos desagradáveis. Pode decidir agir com compaixão para consigo mesmo, agir com propósito e fazer as coisas que importam independentemente de como você esteja se sentindo – se abandonar o controle remoto e agir com disposição.

Aja com disposição

A disposição não é uma coisa que você possui. Não é uma atitude e, decididamente, não é um sentimento. Não é gostar, tolerar ou desejar emoções negativas ou sensações físicas. A disposição é uma ação, motivo pelo qual usamos o termo "agir com disposição".

Você age com disposição quando enfrenta deliberadamente o desconforto em prol de fazer algo importante. Se você se exercitar quando se sentir muito cansado, você está agindo com disposição. Se você vai à praia embora se sinta aterrorizado sobre como as outras pessoas vão julgá-lo, você está agindo com disposição. Se faz uma escolha alimentar saudável apesar de poderosos anseios gritarem *eu quero aquele sorvete!*, você está agindo com disposição. Se você toma a iniciativa de fazer sexo com o seu parceiro embora note intensa ansiedade e medo de rejeição, você está agindo com disposição. Esses são atos de coragem.

Às vezes é difícil agir com disposição porque a dor, o medo ou o estresse da situação parecem extremamente opressivos. Pode ser proveitoso diminuir o ritmo e se sintonizar com o que está acontecendo dentro de você.

Imagine que você está praticando mergulho subaquático, olhando à sua volta e observando os diferentes tipos de peixe e outras espécies marinhas. De repente, você nota que um peixe gigante, aparentemente do tamanho de uma grande baleia, está indo na sua direção. Você não sabe dizer o que é, mas ele parece enorme e realmente assustador. Você quase consegue divisar uma boca gigante e olhos pequenos e redondos. À medida que ele avança, você pensa que esse pode ser o seu fim e não consegue deixar de entrar em pânico. O peixe avança na sua direção e, depois, parece nadar através de você. Somente então você percebe que se trata de um gigantesco cardume de pequenos peixes – cada um com, no máximo, sete centímetros de comprimento. Você vê que são milhares de peixes, pequenos e inofensivos, nadando em cima, embaixo e em volta de você.

As experiências emocionais intensas e esmagadoras podem ser como um grande cardume. Juntos, os peixes parecem enormes e assustadores – dando a impressão de poderem causar um grande dano –; mas ao examinar individualmente cada peixe, ele parece menos ameaçador.

EXERCÍCIO
▷▷ Encare as emoções como se fossem um cardume

À medida que você for avançando neste exercício, faça uma pausa depois de cada parágrafo para realmente se envolver com a experiência.

Comece identificando uma emoção desagradável e uma ocasião específica na qual você tenha se sentido oprimido por essa emoção. Entre em contato com a lembrança dessa situação e procure ver como ela aconteceu. Quem estava presente? O que você viu e ouviu, que cheiro você sentiu? Não se apresse e traga à sua consciência o maior número possível de detalhes. Tente permanecer em contato com a emoção e a situação na qual ela surgiu durante pelo menos dois minutos, até notar que a emoção se fez presente.

Em seguida, entre em contato com o seu corpo e apenas observe o que ele está sentindo. Pense nas suas sensações físicas como se fossem peixes no cardume. Você poderá ter vários peixes girando à sua volta. Você sente um aperto no peito, um buraco no estômago ou tensão nos ombros? E os braços e as pernas? A sua boca está tensa? Você sente alguma coisa na cabeça? Registre mentalmente cada sensação física particular.

Comece com a primeira sensação, o primeiro peixe no cardume. Por exemplo, se você sentir tensão nos ombros, veja se consegue reparar nela e simplesmente abandonar qualquer dificuldade que você tenha com essa experiência. Veja se consegue notar onde essa sensação particular começa e acaba no seu corpo. Delineie-a mentalmente. Em seguida, deixe de lutar com ela ou tentar controlá-la. Deixe que a tensão exista, exatamente como ela é. Relaxe na tensão. Não estamos pedindo que você goste da experiência, apenas que se abstenha de lutar com ela.

Depois de passar algum tempo com a primeira sensação, avance para a experiência seguinte, o próximo peixe. Talvez seja um aperto no peito. Veja se consegue apenas notar essa segunda sensação. Leve a atenção para ela e, enquanto faz isso, procure abandonar qualquer dificuldade que ela possa despertar. Observe o que o seu corpo faz e repare onde você está sentindo o que está sentindo. Se outros sentimentos ou outras sensações começarem a forçar a entrada, informe-lhes delicadamente que você lidará com eles mais tarde. Simplesmente repare na segunda sensação e deixe que ela exista, observando-a com curiosidade. Continue a fazer isso com outras sensações corporais à medida que as for identificando. Veja se consegue permanecer em contato com cada uma delas por um breve período, conscientizando-se de que cada sensação é apenas um pequeno peixe isolado.

Agora veja se consegue notar alguma emoção que você esteja sentindo. Dê um nome a ela. Repare como você a sente no corpo e, enquanto fizer isso, veja se consegue deixar que ela exista sem lutar com ela. Repita os passos acima com cada emoção que você conseguir rotular. Repare em cada pequeno peixe e fique presente com ele durante um breve período, apenas deixando que ele exista.

Em seguida, repare em quaisquer pensamentos que você esteja tendo. Observe delicadamente cada um como ele é, sem lutar. Veja cada pensamento como um pequeno peixe e afague-o delicadamente na cabeça. Observe-os como se estivesse criando um catálogo ou inventário de pensamentos. Observe cada um deles de modo imparcial e abra espaço para ele. Conceda a si mesmo algum tempo para fazer isso. Se você notar que outras experiências estão tentando forçar a entrada, informe-lhes delicadamente que você lidará com elas mais tarde.

Repita esses passos com quaisquer experiências remanescentes: anseios, recordações ou sensações, sentimentos ou pensamentos adicionais. Observe individualmente cada experiência, com o que quer que esteja presente. E enquanto fizer isso, veja se consegue abandonar qualquer esforço de tentar modificar essa experiência. Procure fazer isso enquanto for capaz de notar peixes novos e diferentes. Tente catalogar o cardume inteiro.

Quando terminar o exercício, abra o diário e escreva um novo título: "Meu cardume". Em seguida, relacione o maior número de peixes individuais de que você consiga se lembrar. Vá em frente e faça isso agora.

✻ ✻ ✻

O que você notou ao desmembrar a experiência? Foi diferente lidar com cada peixe individualmente, em vez de com o cardume inteiro de uma só vez? A maioria das pessoas tem dificuldade no início em enxergar as partes individuais de uma experiência, mas com a prática você pode decompô-la e torná-la mais manejável. À medida que você abre espaço para todos os aspectos da experiência que tem naturalmente, você pode agir com disposição e se comportar de maneiras importantes para você.

Construa uma base de disposição

Uma das coisas que gostamos de enfatizar para os nossos clientes é que eles já agem com disposição, em geral com bastante frequência, e provavelmente todos os dias. Pense nas coisas que você faz que você não quer mesmo fazer, ou coisas que não tendem a fazer com que você se sinta bem mas que mesmo assim você faz, porque elas são de alguma maneira importantes. Você já foi trabalhar quando estava se sentindo bastante cansado, contrariado ou esgotado? Claro que sim. Esse é um ato de disposição. Você fez isso porque ir trabalhar é de alguma maneira importante – talvez por você ser realmente dedicado ao seu trabalho, porque você sustenta a sua família com ele ou porque ele lhe proporciona a liberdade de fazer outras coisas de que você gosta, como viajar.

Ser pai ou mãe é decididamente um ato permanente de disposição – como nós sabemos com base em nossa experiência pessoal! As crianças exigem um enorme cuidado, e isso é uma constante, mesmo quando você está cansado ou triste, quando sente que não é um bom pai ou uma boa mãe, quando está com medo ou quando se sente impotente para consolar ou influenciar os seus filhos. Criar, apoiar, sustentar os filhos e garantir o bem-estar deles mesmo quando fazer isso não lhe proporciona muita satisfação ou quando eles não estão lhe dando muito em troca – esses são atos de disposição.

Para algumas pessoas, todas as sessões de exercício, sejam elas longas ou breves, requerem agir com disposição. Enquanto está se exercitando, você pode constatar que está abrindo espaço para sensações físicas desagradáveis, o desejo de apenas se sentar e descansar, talvez o estresse do dia, bem como a importuna sensação de que você não tem tempo para malhar.

EXERCÍCIO DE PRÁTICA PROLONGADA
▷▷ Use o podômetro da disposição

Este exercício se destina a ajudá-lo a fazer duas coisas: registrar todas as maneiras pelas quais você age com disposição no momento e aumentar o número de vezes em que você age com disposição. Você vai manter um podômetro da disposição. Exatamente como um podômetro de verdade, que registra o número de passos que você dá em um dia considerado, o podômetro da disposição registra o número de vezes em que você age com disposição. Pense nelas como passos de disposição.

Durante uma semana, registre cada ato de disposição, não importa se ele é grande ou pequeno. Você pode fazer isso no seu diário, um caderninho que você carrega com você, no seu diário de alimentação caso você tenha um ou em qualquer dispositivo eletrônico, como um *smartphone*. Cada vez que você notar que agiu com disposição, registre (por exemplo: "Fui trabalhar me sentindo exausto") com o dia e a hora.

Depois, na outra semana, continue a registrar os seus passos de disposição e, intencionalmente, adicione um ou dois passos por dia. A cada dia, identifique uma ou duas coisas que você pode fazer que normalmente não teria feito. Faça-as e adicione esses passos à sua contagem. Escolha ações importantes para você e que você sabe que o deixarão insatisfeito de alguma maneira – situações nas quais você geralmente se inclinaria a escolher uma coisa mais fácil ou reconfortante. Eles não precisam ser passos importantes (embora seja excelente se forem!) Por exemplo, em vez de assistir à televisão talvez você possa passar algum tempo preparando uma refeição saudável para o dia seguinte enquanto se conscientiza de que apenas deseja relaxar e se desligar. Talvez você escolha se exercitar pela manhã embora se sinta péssimo ao acordar. Talvez você reserve um tempo para telefonar para um parente ou escrever um *e-mail* para um amigo embora esteja se sentindo triste ou estressado. Registre no seu diário quaisquer mudanças de comportamento que você observe em si mesmo durante a segunda semana.

A disposição e o cachorro que pede comida

A disposição é como treinar um cachorro que pede comida a deixar de fazer isso. Se você impuser condições, o processo realmente não irá funcionar. Se você disser que só vai dar comida normal para o seu cachorro *se* ele latir bem alto ou pular na mesa, você provavelmente vai enfrentar muitos saltos e latidos.

Se você impuser condições à disposição, você decididamente não agirá com disposição. É mais ou menos como agir com disposição se tudo correr bem. Qualificar a disposição exigindo que as coisas corram bem ou que você não pode se sentir *excessivamente* mal não é agir com disposição. Quando você age com disposição, as suas emoções tendem a empurrá-lo para além da sua zona de conforto.

Agir com disposição é um pouco como saltar (Hayes, Strosahl e Wilson, 1999). Quando salta, os seus pés deixam o solo e você se coloca nas mãos da gravidade. Isso é verdade mesmo com relação a pequenos saltos. Partindo do princípio de que você é fisicamente capaz, coloque um pedaço de papel no chão e depois saia de cima dele, um pé de cada vez. Em seguida, tente saltar para fora dele com os dois pés ao mesmo tempo. Embora esse seja um salto extremamente pequeno, que percorre uma distância tão curta que é quase impossível medi-la, mesmo assim ele é um salto. Você está tirando os seus pés do chão e deixando que a gravidade assuma o comando.

Para agir com disposição, você precisa se comprometer a sentir o que sente enquanto está agindo. Nem sempre você pode prever como vai se sentir ou quão intensos serão os sentimentos. Você precisa estar aberto para o que quer que surja.

Para viver de uma maneira significativa para você, é preciso fazer coisas que são um pouco mais assustadoras do que não dar atenção a um cachorro que pede comida. Agir com disposição, por exemplo, pode significar buscar a intimidade física enquanto você está se sentindo repulsivo, receoso e vergonhoso. Esse é um grande salto e será um ato de coragem.

Outros saltos serão menores, como resistir aos anseios. Os anseios são muito parecidos com o cachorro que pede comida, mas de outra maneira. Se você ceder e der comida ao cachorro, ele vai querer mais da próxima vez, exatamente como o filhote do *T. rex*. Quanto mais você cede a um anseio, mais forte ele se torna. Você tem comido sobremesa depois de cada refeição? Esse é um hábito realmente difícil de quebrar. Cada vez que você tem um anseio e alimenta esse anseio, você fortalece a associação entre os anseios e a comida, garantindo que os anseios reaparecerão.

Agir com disposição significa superar com êxito esses anseios e os ataques deles. Ao notar um anseio, experimente imaginá-lo como um cachorro grande e bobo, ganindo e pedindo um pouco de comida. Depois, procure agir com disposição enquanto escolhe um alimento mais saudável ou um comportamento que não seja comer.

EXERCÍCIO DE PRÁTICA PROLONGADA
▷▷ **Abra espaço para os anseios.**

Leia todo o exercício antes de fazê-lo. Você pode realizar o exercício de olhos abertos ou fechados. Também pode fazê-lo imaginando os alimentos pelos quais anseia ou tendo-os presentes. Recomendamos que você comece imaginando os alimentos. Pratique dessa maneira durante pelo menos uma semana e depois você pode tentar ter presentes os alimentos desejados.

Comece praticando a atenção plena da respiração durante dois a três minutos para se centrar.

Direcione a atenção para um alimento que você esteja comendo com frequência maior do que deseja. Pense nesse alimento. Imagine que ele está diante de você; pense na aparência, no cheiro e no gosto dele. Observe o maior número possível de aspectos desse alimento. Ao notar um forte desejo de comê-lo, avance para o passo seguinte; enquanto esse desejo não surgir, continue a imaginar o alimento e os seus múltiplos aspectos até que surja o anseio.

Veja se consegue descrever detalhadamente um ou dois desses impulsos ou anseios. Apenas identifique-os e imagine lançar a luz de um refletor sobre eles. Conscientize-se de como eles se manifestam. Que sensações físicas você está experimentando no corpo? Em que partes do corpo você sente o anseio? Veja se consegue traçar um esboço disso com o seu olho mental. Qual a sensação que o anseio produz no seu corpo? Que emoções estão surgindo com relação ao anseio? Procure abrir um pouco de espaço para essas emoções e permita que elas permaneçam presentes. O seu eu permanente contém todas as suas experiências como elas são.

Permaneça em contato com a maneira como você se sente e, à medida que continua a entrar em contato com outros anseios, veja se consegue abandonar qualquer conflito com os anseios e apenas deixar que eles existam. Como a maioria das pessoas, você provavelmente está acostumado a combater os seus anseios ou a alimentá-los. Veja se desta vez você consegue criar um pouco de espaço para escolher não agir movido por um anseio e, em vez disso, agir com disposição para sentir esses anseios, apenas permanecendo com eles e observando o que está acontecendo no seu corpo. Imagine que você pode se expandir em volta dos seus anseios e abrir espaço para eles dentro de você sem precisar fazer nada a respeito.

Imagine agora que o seu impulso de comer é uma onda do oceano e que você é um surfista nessa onda de anseio. Use a respiração como a sua prancha. A sua tarefa é surfar a onda desde o início, permanecendo com ela quando ela chegar ao pico. Observe essa onda com curiosidade e, enquanto faz isso, repare se a sua experiência com o anseio se modifica de alguma maneira. Você já se sentou alguma vez com um anseio e o examinou, em vez de reagir a ele? Observe como você pode simplesmente permanecer com essa onda de anseio, em vez de reagir a ela de imediato. Apenas permaneça com o anseio, sem lutar ou tentar fazer com que ele vá embora, durante outros dois a três minutos.

A disposição em poucas palavras: O grande jantar de comemoração

Vamos examinar um pouco mais a disposição, desta vez usando uma clássica metáfora da ACT (Hayes, Strosahl e Wilson, 1999). Imagine que você planejou um grande jantar de comemoração. O seu restaurante predileto vai oferecer esse jantar para você de graça, com todos os seus pratos e bebidas favoritos, em uma sala reservada. Você e os seus convidados podem permanecer na sala e celebrar pelo tempo que quiserem. Existe apenas uma condição: todas as pessoas que você um dia conheceu precisam ser convidadas. O nosso palpite é que há pelo menos algumas pessoas que você preferiria não ver na comemoração. Procure identificar algumas dessas pessoas neste momento.

Apesar desse inconveniente, você não pode negar que é uma proposta excelente, de modo que decide aceitá-la. Quando a festa começa, percebe que está tendo a incrível oportunidade de entrar em contato com um grande número de pessoas de quem você gosta, de rir com elas, colocar os assuntos em dia e contar histórias. No entanto, no fundo, você está realmente torcendo para que os convidados indesejados não apareçam. Você olha em volta, monitorando as portas para garantir que eles não vão aparecer. *Eles vão estragar a festa*, você pensa. *Poderíamos nos divertir tanto sem eles.* Enquanto fica de olho nas portas, nota que não está tão conectado com as conversas que está tendo. O tempo está passando, e você não conversou com tantas pessoas quanto gostaria.

Finalmente, como era de se esperar, um desses convidados indesejados aparece. Você pensa: *Não posso permitir que essa pessoa estrague a comemoração, então vou tentar impedir que ela entre*. Você vai até a porta e fala com a pessoa, tentando fazer com que ela não entre. Você não quer que ela arruíne o evento ao deixar alguém pouco à vontade, envergonhá-lo ou fazer com que você se sinta mal de alguma maneira. Mas não é fácil conseguir que ela vá embora, e você se vê conversando apenas com esse convidado indesejado enquanto a comemoração continua sem você.

Com o tempo, ele acaba indo embora, e você volta para a festa. Mas alguns minutos depois, ele surge na porta dos fundos. Você nem mesmo sabia que havia uma porta dos fundos! A festa continua, e você passa cada vez mais tempo tentando impedir a entrada de um número cada vez maior de convidados indesejados. Você perde a oportunidade de estar com amigos e familiares e de conversar, contar histórias e rir com eles.

Se você permitisse a entrada desses convidados, sem dúvida eles teriam causado algum tipo de cena. Poderiam ter bebido demais, feito barulho, sido irritantes e derramado bebida nas pessoas. Poderiam ter dito alguma coisa que o deixasse envergonhado, zangado ou triste. No entanto, você teria podido passar pelo menos parte do tempo, ou até mesmo a maior parte dele, do jeito que queria: conversando e interagindo com as pessoas de quem você gosta, apesar das interrupções e distrações.

E se a sua vida e as tentativas de perder peso forem como esse jantar de comemoração? Há muita coisa que você pode fazer e vivenciar se não se fixar nos convidados indesejados. Se você deixar que a vergonha, a insegurança e a ansiedade entrem na festa, você poderá se dedicar a qualquer atividade que deseje: sair com os amigos, ir à praia, dançar, ter intimidade, expressar livremente gratidão e amor pelos outros e muito mais. Se você conseguir permitir que os anseios, o estresse, a fadiga, a tristeza e a insatisfação participem da festa, você terá mais liberdade para escolher alimentos mais saudáveis, comer porções menores e se exercitar mais. Tudo o que você precisa fazer é agir com disposição.

Avançando mais

Os clientes costumam nos perguntar: "Como posso ficar mais disposto?". Essa é uma pergunta razoável. Infelizmente, não temos uma resposta realmente boa além do famoso *slogan* da Nike "Just do it!"[2]. A disposição é um comportamento, e como qualquer comportamento ela requer prática. No restante deste capítulo, oferecemos vários exercícios

---

[2] Tradução livre: "Simplesmente faça!", "Apenas faça!". (N. dos trads.)

para você praticar com o tempo. Confie em nós, não existe nenhuma maneira de ficar mais disposto (e portanto menos evitante) do que praticar agir com disposição em situações desagradáveis. Existe uma diferença entre compreender intelectualmente a disposição e agir com disposição, e o crucial é a ação. O que nos interessa é se você é capaz de agir de uma maneira positiva na sua vida na presença de obstáculos. Sendo assim, pratique repetidamente!

EXERCÍCIO DE PRÁTICA PROLONGADA
▷▷ Carregue a emoção com você

Identifique uma emoção com a qual você costuma gastar muita energia tentando mudá-la ou evitá-la, como a vergonha, a tristeza, a raiva – alguma coisa em que mais disposição criaria espaço para você agir de uma maneira mais positiva ou eficaz na vida. Anote essa emoção em uma ficha. Mantenha a ficha no bolso o dia inteiro como uma metáfora física para o fato de estar carregando a emoção com você. Duas vezes por dia, pegue a ficha e observe quaisquer reações que esteja tendo a essa emoção. Anote-as no verso da ficha, coloque-a de volta no bolso e continue a carregá-la com você.

Verifique a emoção periodicamente, perguntando a si mesmo o quanto você está disposto a carregá-la com você enquanto se dedica ao que considera importante ao longo do dia. Você estaria disposto a carregá-la com você se isso significasse obter mais controle sobre o seu comportamento? Vá anotando um número cada vez maior de reações na ficha e continue simplesmente a carregá-la – continue a viver.

EXERCÍCIO DE PRÁTICA PROLONGADA
▷▷ Desenvolva a percepção consciente da evitação

A meta deste exercício é ver as escolhas de comportamento que você faz e observar como e quando essas escolhas são influenciadas pelo desejo de mudar ou evitar uma emoção. Recomendamos que você realize o exercício pelo menos por um mês e depois repita-o de acordo com a necessidade. Crie uma simples folha de acompanhamento ou imprima um calendário mensal em branco. Diariamente, escreva apenas a palavra "evitar" quando notar que fez uma escolha alimentar motivada, pelo menos em parte, por querer mudar a maneira como você se sente. Desse modo, se você estiver estressado e pensar *Comer uma pizza faria com que eu me sentisse muito melhor*, e depois efetivamente comer a pizza, escreva "evitar" nesse dia do calendário. Se você estiver se sentindo desanimado e decidir tomar um sorvete porque ele o fará se sentir melhor ou para mimar a si mesmo, escreva "evitar".

À medida que o tempo passar e a sua prática da disposição se aprofundar, também pode ser proveitoso escrever "disposto" nos dias em que notar o impulso de comer alguma coisa apenas pelo prazer ou conforto mas, em vez disso, escolher um alimento saudável ou optar por não comer. Se você estiver escrevendo em um diário de alimentação, você pode acrescentar isso ao monitoramento das calorias.

EXERCÍCIO DE PRÁTICA PROLONGADA
▷▷ Procure os seus anseios

A disposição de vivenciar anseios de comida é uma parte importante do processo de mudar o seu relacionamento com a comida. Na abordagem da ACT, você é incentivado a criar ou enfrentar situações em que os anseios tendem a ocorrer; se você não fizer isso, será difícil aprender a fazer uma coisa diferente quando eles surgirem.

Este exercício o ajudará a fazer exatamente isso. Recomendamos que você o realize com frequência – pelo menos uma vez por semana. É melhor abordá-lo incrementalmente, começando com pequenos desafios e depois trabalhando em direção aos maiores.

Ao procurar os anseios, comece tentando pensar em todos os alimentos que você costuma desejar intensamente. Escreva o título "Anseios de comida" no seu diário e depois relacione alimentos pelos quais você anseia com frequência, começando com o desejo mais poderoso e terminando com aqueles menos frequentes e poderosos. Para um de nós, os três grandes, pizza, hambúrgueres e *cookies*, estariam no topo, com sorvete no meio e *burritos* e batata frita mais perto do fim da lista. (Você acha que é por acaso que trabalhamos nesta área?) Use subtítulos para categorizar os anseios: "Alimentos que desejo intensamente", "Alimentos que desejo medianamente" e "Alimentos que desejo menos". Anote o maior número possível de anseios em cada categoria. Vá em frente e faça isso agora.

※ ※ ※

O próximo passo é identificar situações nas quais você encontra esses alimentos ou anseia por eles. Anote algumas dessas situações debaixo ou ao lado de cada categoria no seu diário. Novamente, escreva o maior número possível delas.

※ ※ ※

Agora crie uma hierarquia de situações nas quais você vai se colocar deliberadamente com o objetivo de se expor ao anseio enquanto age com disposição para escolher uma opção mais saudável ou se abster de comer. Isso provavelmente soa como tortura, mas eis como funciona: você não pode quebrar padrões sem... quebrar padrões. A única maneira de fazer isso é fazendo. Você precisa ficar um pouco mais à vontade com o estar insatisfeito, e isso requer ficar insatisfeito!

Enquanto estiver criando a sua hierarquia, use os seguintes títulos: "Um pouco desagradável" (por exemplo, ir a uma loja de doces ou confeitaria, comprar uma garrafa de água mineral e ir embora); "Moderadamente desagradável" (por exemplo, ir almoçar com colegas de trabalho, levar uma refeição saudável e comê-la); "Muito desagradável" (por exemplo, comparecer a um banquete ou a uma reunião social que ofereça uma abundância dos alimentos que você deseja); e "Extremamente desagradável" (por exemplo, fazer *cookies* para outros membros da família, deixá-los do lado de fora durante quatro horas e comer apenas um). Tente gerar pelo menos duas situações em cada categoria.

Durante várias semanas (e até mais), coloque-se deliberadamente nessas situações e depois escolha agir com disposição. Comece com as situações de baixa intensidade e, aos poucos, envolva-se com as de maior intensidade. Use todas as habilidades que aprendeu neste livro. Por exemplo, quando os anseios se manifestarem, observe-os atentamente, com percepção consciente e curiosidade. Repare em alguma coisa a respeito deles que você não tenha notado antes: O que você realmente sente com eles? Onde estão localizados no seu corpo? Eles mudam com o tempo? Observe também quaisquer pensamentos improdutivos que a sua mente possa produzir. Preste realmente atenção a como a sua mente se torna mais intensa, tentando pequenos truques para convencê-lo a ceder, talvez garantindo que você compensará o que comer mais tarde. Uma vez mais, comece com os itens mais fáceis e depois, aos poucos, vá para os mais difíceis.

Note que o ponto não é se abster completamente de comer os alimentos que deseja. Na realidade, tentar se proibir totalmente de comer os alimentos que deseja pode ser prejudicial a longo prazo, porque isso conduz a sentimentos crônicos de privação. O importante é praticar agir com disposição e começar a ter experiências nas quais você faz uma escolha saudável. Na realidade, você pode tornar o ato de comer uma escolha. É até mesmo aceitável comer *cookies* de vez em quanto. O segredo é que você estará fazendo isso como uma escolha genuína, e não a partir da compulsão de alimentar anseios ou de evitar ou ceder a emoções ou pensamentos.

EXERCÍCIO DE PRÁTICA PROLONGADA
▷▷ Procure sentimentos desagradáveis

Este exercício usa o mesmo conceito que o precedente, mas neste caso você vai trabalhar com experiências diferentes de anseios: tristeza, tédio, ansiedade, estresse, vergonha e assim por diante. Do mesmo modo, você vai procurar experiências com o objetivo de quebrar padrões relacionados com a evitação emocional. Repita os mesmos passos do exercício anterior e gere uma hierarquia de coisas que você pode fazer para deliberadamente se expor ao desconforto em prol de realizar algo importante para você ou quebrar um antigo padrão pouco saudável.

Torne-se um destruidor de padrões! Tome medidas para desenvolver mais padrões e resgatar a sua vida da evitação emocional. Você pode fazer isso! Apenas seja paciente. O desenvolvimento de padrões leva algum tempo, além de muita prática em agir com disposição.

Resumo

Neste capítulo, examinamos como os padrões de evitação podem conduzir a mais sofrimento. Ao tentar fugir de como se sente, é provável que você descubra que é menos capaz de praticar ações importantes na sua vida. Há uma boa chance de que você vá vivenciar menos vitalidade e satisfação na vida. O antídoto para isso é agir com disposição. Se você der passos corajosos, pequenos ou grandes, para se dedicar ao que é importante para você, mesmo quando isso for de alguma maneira desagradável e sentimentos indesejados estiverem presentes, você poderá se libertar para ser a pessoa saudável e amorosa que realmente deseja ser. A única maneira de chegar aí é continuar a dar passos em direção ao que importa para você.

Capítulo 5

Use valores para formar hábitos saudáveis

John achava que a vida seria melhor se ele conseguisse controlar seu peso. Parecia que os homens com uma boa condição física obtinham as melhores coisas na vida. Ele chegou à conclusão de que a sua melhor chance de ser mais feliz seria perder peso e ter um belo corpo. Essa passou a ser a sua missão. Ele ficou obcecado por contar calorias e se pesar. John se tornou um especialista em perder peso... e, infelizmente, também em recuperá-lo. Ele parecia se definir pelo seu peso e expressava uma grande frustração com relação aos seus conflitos. Durante o aconselhamento, ele frequentemente dizia: "Tudo o que eu quero é ver esses malditos números diminuírem", como se estivesse negociando com a balança.

John fez o que muitos de nós acabamos fazendo. Ficou obcecado pela tarefa de perder peso. Se os números na balança aumentavam, ele ficava contrariado, e se diminuíam, ele ficava feliz – pelo menos por um breve período. Quando engordava, John sentia que essa era uma prova de que havia algo errado com ele.

Como foi discutido no Capítulo 1, você não pode ficar magro odiando a si mesmo, e como discutido no Capítulo 3, a sua mente nunca vai ficar completamente satisfeita com você, não importa o que você faça. Ela sempre consegue imaginá-lo com uma aparência melhor, fazendo mais, tendo mais sucesso, dinheiro, amor e assim por diante. Perder peso para corrigir o que está acontecendo do lado de dentro é a armadilha do preciso de conserto na sua forma mais básica, e não é de causar surpresa que isso tenha gerado um efeito ioiô no peso de John.

O mais importante com relação à situação de John no que diz respeito a este capítulo é que mesmo quando emagrecia, ele nunca começava coisas que iriam enriquecer a sua vida, como conhecer novas pessoas, se dedicar a atividades criativas ou buscar uma promoção. Em vez isso, ele simplesmente continuava a tentar perder mais peso e a ficar mais em forma. Para John, o objetivo da perda de peso era mudar como ele se sentia com relação a si mesmo, e, quando isso não dava certo, a comida funcionava, mas somente a curto prazo. Nesse meio-tempo, ele ainda tinha a sua vida para viver e não estava fazendo isso de uma maneira satisfatória e dinâmica. Tudo aquilo encerrava um vazio.

A importância do motivo

O psicólogo Kennon Sheldon ficou perturbado ao observar que as pessoas com frequência definem metas e depois não dão seguimento a elas. Ele também notou que era igualmente comum as pessoas atingirem as suas metas mas não se sentirem mais satisfeitas com a sua vida do que antes. Isso sugere que, em geral, as pessoas podem ter pouco sucesso em alcançar metas e, curiosamente, também ter pouco sucesso em escolher metas que irão aprimorar a sua vida.

O trabalho de Sheldon mostrou que talvez as metas que escolhemos, o fato de as alcançarmos ou não e o fato de elas melhorarem a nossa vida estejam todos relacionados.

Em uma série de estudos, Sheldon e o seu colega Andrew Elliot pediram aos participantes que acompanhassem as metas que definiram, se as alcançaram ou não e o seu bem-estar psicológico, às vezes por um período muito curto, como cinco dias, e outras vezes durante meses. Eles constataram repetidamente que as metas que não representam os profundos interesses e valores de alguém têm pouca probabilidade de produzir a energia prolongada necessária para serem completadas, e que, mesmo quando essas metas são alcançadas, elas tendem a não proporcionar os benefícios psicológicos que poderiam ser esperados (Sheldon e Elliot, 1998, 1999). Essa dinâmica é ainda mais pronunciada quando as metas são motivadas por algo negativo, como o medo do fracasso.

A implicação é clara: o *motivo* é importante. As metas só são proveitosas se a sua motivação for pessoal e significativa. Seguir um roteiro do que você deveria estar fazendo não o ajudará a obter a vida que você deseja. Tentar mudar os seus pensamentos e sentimentos atingindo essas metas ficará aquém das expectativas. Uma abordagem mais eficaz para viver uma vida dinâmica e satisfatória é descobrir o que é profunda e verdadeiramente importante. Isso fortalecerá o seu comportamento.

A abordagem da ACT da mudança de comportamento

Com base na perspectiva da ACT, identificar e cultivar valores pessoais, livremente escolhidos, é a força propulsora de toda mudança de comportamento. Se você não tiver um profundo entendimento do que é importante para você, poderá dar consigo em um processo interminável e frequentemente vazio de definir meta após meta, com pouco sucesso em alcançá-las e pouca ou nenhuma melhora na sua vida.

Portanto, vamos abordar o verdadeiro problema: a perda de peso é importante em si mesma ou ela só é importante no contexto de viver uma vida que realmente valha a pena para você? Vamos lhe dizer o que dizemos para os nossos clientes: não nos importamos com o fato de você perder peso ou não. Escrevemos este livro inteiro sobre como ajudá-lo a viver uma vida mais saudável, mas não nos importamos com o fato de você perder peso ou não. Estamos loucos? Talvez. Mas, antes de tirar alguma conclusão, leia os seguintes epitáfios e nos diga qual deles você preferiria ter escrito na sua lápide:

"Aqui jaz Pat, que finalmente acabou perdendo dez quilos."

"Aqui jaz Pat, um amigo dedicado e pai amoroso."

Acreditamos que sua escolha é pelo segundo epitáfio. No final, refletindo sobre a sua vida, o seu peso não é, nem de longe, tão importante quanto a maneira como você vive a sua vida, os relacionamentos que você tem, como você interage com os outros, como você se desenvolve e cresce intelectual e emocionalmente e a alegria que você cria na sua vida. Queremos que você viva uma vida que valha a pena para você. A questão é como uma vida saudável (e, por extensão, um peso saudável) se encaixa na sua vida. Se uma vida saudável tem um lugar na sua vida (o que é verdade para a maioria das pessoas), então nós apoiamos totalmente o seu sucesso para perder peso.

Não nos leve a mal. Há algum valor inerente em perder peso. O excesso de peso está associado com um número de problemas de saúde física, além de consequências sociais. Mas os estudos descritos anteriormente indicam a importância da sua motivação para querer perder peso.

Quase todas as pessoas afirmam que querem emagrecer por causa da saúde. Mas o que isso significa? Queremos ajudá-lo a esclarecer como ser mais saudável irá ajudá-lo a viver a vida que você deseja viver. Como isso está relacionado com outras coisas importantes e essenciais na sua vida? Ser saudável afetará os seus relacionamentos, o seu trabalho ou o quanto você desfruta o divertimento? De que maneira hábitos saudáveis o ajudarão a crescer e se tornar o seu verdadeiro eu?

Não raro ouvimos clientes dizendo coisas como "Quero ser confiante", "Quero gostar de mim mesmo", "Quero parecer magnífico em roupa de praia" ou "Quero me sentir mais à vontade no meu corpo". Não há nada errado em desejar essas coisas; o problema é que elas são apenas meios para alcançar um fim. O que essas coisas possibilitariam que você *fizesse* na sua vida? Presumivelmente, se você se sentisse confiante, viveria a vida de uma maneira diferente. O valor reside em viver a vida de uma maneira diferente. Sendo assim, o que é importante para você? O que você deseja fazer?

Com frequência perguntamos aos clientes: "O que está no fundo daquele poço?", porque poderiam ser necessárias inúmeras perguntas para encontrar o que é profundamente importante. Digamos que você deseje ser feliz. Por que você deseja isso? O que isso ofereceria a você? Talvez você sinta que isso o tornaria mais confiante. Ok, e o que é importante com relação a isso? Talvez você então pudesse comprar roupas bonitas e gostar da sua aparência. Ok, e o que isso lhe permitiria fazer de importante na vida? Talvez então você pudesse ter um encontro romântico com o seu parceiro ou praticar mais atividades com os seus amigos. Finalmente chegamos lá! Você dá valor a se envolver plenamente nos seus relacionamentos.

Decidir procurar ser saudável para tranquilizar um médico ou membro da família ou para evitar ser criticado ou ridicularizado por outras pessoas não o ajudará a manter hábitos saudáveis a longo prazo. Pense nisso do ponto de vista de fugir de alguma coisa. Perder peso poderia evitar que um membro da família o importunasse, e assim você estaria tentando fugir da importunação e da maneira como isso faz com que você se sinta (outra forma da armadilha do preciso de conserto). O mesmo se aplica às críticas, especialmente à autocrítica. Fugir é geralmente uma estratégia de curto prazo. Pode dar certo durante algum tempo, mas não funciona a longo prazo.

Por outro lado, ser mais saudável poderia possibilitar que você participasse de atividades com pessoas queridas, tivesse mais energia para passar momentos com os seus filhos, estivesse vivo para ver os seus netos se formarem, poderia melhorar os momentos de intimidade com o seu parceiro ou cônjuge, lhe permitir fazer mais coisas com os amigos ou ter um nível de desempenho melhor no trabalho ou nos *hobbies*. Você pode pensar no que acabamos de descrever como coisas em direção às quais você está avançando. Você as deseja, ou quer uma maior quantidade delas, na sua vida e está avançando nessa direção. Se conseguir identificar coisas com as quais você se importa e genuinamente valoriza na visão global, e mantê-las em foco, é mais provável que escolha e alcance metas que o levem em direção a elas. Em outras palavras, se você deseja ter mais satisfação e vitalidade na vida, a perda de peso precisa dizer mais respeito a uma vida saudável e ao tipo de coisas que a vida saudável proporciona à sua vida, em vez de exclusivamente à perda de peso.

A alimentação saudável e os hábitos de exercício são meramente uma extensão de uma vida bem vivida, e somente você pode decidir como esses hábitos saudáveis se encaixam em uma vida que é movida por seus valores. Neste capítulo, vamos ajudá-lo a construir padrões de comportamento saudáveis que são compatíveis com os seus valores e contribuem com significado e propósito no seu dia a dia.

Uma nova maneira de avaliar o sucesso: A vida de qualidade

O primeiro passo em direção a uma vida alegre e saudável é identificar os seus valores pessoais. Você não pode construir padrões novos e duradouros de comportamento sem se relacionar com o que é profundamente significativo para você. Lembre-se de que isso diz respeito à sua vida como um todo, e não apenas ao seu peso. Se hábitos saudáveis não se encaixarem em um amplo conjunto de valores que conferem significado à sua vida, então será difícil, ou até mesmo impossível, sustentar comportamentos novos e saudáveis.

Você talvez esteja pensando: *Essa parece uma coisa que deveríamos ter feito anteriormente no livro.* Esta provavelmente não será a última vez em que você terá esse pensamento! Fazemos as coisas de uma maneira um pouco diferente, e existe uma razão pela qual levamos algum tempo para chegar até aqui.

As pessoas tendem a ter um conjunto de ideias a respeito do que deveriam estar fazendo na vida e o que deveriam valorizar e considerar importante. Isso é fortemente influenciado por outras pessoas, como pais, outros membros da família, amigos e colegas de trabalho. A sua mente, o pior orador motivacional do mundo, pegou essas ideias e as organizou em uma grande lista intitulada "O que eu deveria...". Todos temos a nossa lista.

Queremos ajudá-lo a abrir caminho por essa lista e encontrar o seu verdadeiro eu e o que é realmente importante para você. Ao longo dos anos, descobrimos que é mais fácil para as pessoas identificar valores pessoais fundamentais depois que elas têm alguma prática em se relacionar de uma maneira diferente com os pensamentos (o que você trabalhou no Capítulo 3) e os sentimentos (o foco do Capítulo 4). Também é muito fácil cair na armadilha do preciso de conserto com os valores, escolhendo o que é importante com base principalmente no que a sua mente lhe diz que fará você se sentir melhor de modo regular. A agenda dessa abordagem é uma vida livre da autoavaliação e de emoções desagradáveis, e a experiência mostrou que isso não funciona.

EXERCÍCIO
▷▷ **Identifique os seus valores**

Tendo em mente a discussão anterior, passe agora alguns momentos examinando o que importa mais para você nas áreas essenciais da vida. Em instantes, vamos lhe pedir para escrever a respeito do que importa para você em quatro principais áreas da vida, mas, primeiro, eis algumas diretrizes: enquanto estiver escrevendo, procure registrar quaisquer intromissões da sua mente lhe dizendo com o que você deveria se importar. Se você sentir que parece um "o que eu deveria...", provavelmente não é algo de fato importante para você. Tente abandonar essa ideia e se fixar no que lhe interessa mesmo. Além disso, veja se consegue notar um impulso de escrever coisas que você acha que outras pessoas poderiam aprovar. Se escrever algo que só seria importante se outra pessoa soubesse que você se importa com isso, esse provavelmente não é um valor seu. Procure se concentrar no que realmente é importante para você, bem no fundo. Lembre-se de que o seu diário é privativo: ninguém jamais irá ler ou julgar o que você escreveu. Por último, não se preocupe em ter de escrever de determinada maneira; apenas deixe as palavras fluírem.

Abra o diário e escreva o título "Meus valores pessoais" e em seguida leve algum tempo escrevendo livremente a respeito do que é importante para você nas quatro principais áreas da vida, listadas a seguir, passando pelo menos cinco minutos em cada uma delas:

Relacionamentos

Trabalho ou instrução

Interesses pessoais (recreação, hobbies, sua vida espiritual e assim por diante)

Saúde

Essas quatro áreas são importantes esferas da vida com as quais muitas pessoas se importam. Sem dúvida existem outras áreas nas quais você pode decidir se concentrar, e esperamos que você faça isso, mas neste livro vamos nos concentrar nessas.

✽ ✽ ✽

Como você se saiu? Foi fácil ou difícil? Notou alguma coisa que não estava esperando? Foi capaz de abandonar os "o que eu deveria..."? E o impulso de obter a aprovação dos outros? Reveja o que você escreveu para ter certeza de que reflete os seus valores pessoais.

EXERCÍCIO
▷▷ Redija o seu epitáfio

Este é outro exercício clássico da ACT (Hayes, Strosahl e Wilson, 1999). Embora seja um tanto mórbido, ele se dirige para a essência do que está faltando quando nos concentramos em controlar os nossos pensamentos e sentimentos em vez de viver a vida. Imagine que você já viveu um número muito maior de anos, de maneira feliz e plena, e que o seu tempo na Terra chegou ao fim. Isso vai acontecer com todos nós. O nosso tempo é limitado, o que dá origem a questionamentos fundamentais que todos enfrentamos: Como você deseja passar o seu tempo aqui na Terra? O que deseja fazer com essa preciosa dádiva de vida que você recebeu?

Enquanto se imagina deitado no seu túmulo, pense no seu epitáfio. Qual seria um epitáfio gratificante na sua lápide? De certa maneira, um epitáfio é a medida de uma vida bem vivida. Pensamos nisso como o "teste do epitáfio". Eis alguns exemplos que, na nossa opinião, não passam no teste:

Aqui jaz Julie...

Ela avaliava a sua vida em função do quanto se sentia feliz.

Ela tentava se certificar de que nunca se sentiria insatisfeita.

Ela escolhia o prazer de comer em detrimento da saúde.

Ela se sentia realmente autoconfiante.

Ela evitava tudo o que pudesse constrangê-la.

Ela gastava toda a sua energia lutando contra o seu peso.

Essa lista talvez inclua itens que para você tenham a ver com uma vida bem vivida, como se sentir realmente autoconfiante. Não há nada errado com se sentir autoconfiante, e certamente não desestimularíamos esse sentimento. No entanto, ao longo dos anos, descobrimos que ele é um guia insatisfatório para o comportamento. É simplesmente fácil demais transformar "sentir-se autoconfiante" em "não se sentir autoconfiante". O resultado é, com frequência, uma espécie de dor interior e a tentativa de fugir dela (exatamente, outra armadilha do preciso de conserto). Quando as pessoas estão motivadas a sentir alguma coisa positiva o tempo todo, isso significa na verdade o desejo de não sentir o que é negativo, o outro lado desse estado positivo, e esse é um fator limitador. Uma vida bem vivida inclui nos sentirmos autoconfiantes e, necessariamente, às vezes não nos sentirmos autoconfiantes. Afinal de contas, novos desafios ocasionarão dúvidas. Uma vida desprovida de insegurança provavelmente é uma vida desprovida de desafios, o que não é um jeito dinâmico e satisfatório de viver.

Vamos agora dar uma olhada em um exemplo que, na nossa opinião, passa no teste do epitáfio:

Aqui jaz Donald...

Ele era bondoso e atencioso com as pessoas.

Ele aceitava desafios.

Ele continuava a se dedicar ao que era mais importante para ele quando as coisas ficavam difíceis.

Ele sempre buscava oportunidades de crescer como pessoa.

Ele fazia diferença na vida dos seus entes queridos.

Você consegue perceber a diferença? Esse segundo conjunto está muito mais concentrado no comportamento: no que você faz. Isso é algo que você pode controlar. Não está concentrado em pensamentos ou sentimentos; estes você não pode controlar. Para enfrentar desafios e se importar com os entes queridos, é quase certo que você terá de vivenciar pensamentos e emoções indesejados ao longo do caminho. Isso faz parte do negócio.

Agora que você viu alguns exemplos, abra o seu diário e, continuando sob o título "Meus valores pessoais", redija um epitáfio para si mesmo em cada uma das seguintes esferas:

Relacionamentos

Trabalho ou instrução

Interesses pessoais

Saúde

Certifique-se de que essas declarações representam uma vida bem vivida para você. Use o que escreveu no exercício anterior como inspiração e ideias para o seu epitáfio e assegure-se de que o seu texto vai passar no teste. As suas declarações deverão se concentrar no comportamento, não no que você pensa ou sente. Elas deverão refletir como você quer ser como pessoa, independentemente da opinião dos outros. Esperançosamente, isso o ajudará a começar a atravessar os "o que eu deveria..." para poder identificar valores pessoais essenciais que sustentarão mudanças saudáveis de comportamento com o passar do tempo.

Encontre a sua bússola

Uma maneira proveitosa de pensar a respeito dos valores é como as direções em uma bússola (Haynes, Strosahl e Wilson, 1999). Se decidir que deseja ir para o leste, você poderá olhar para a sua bússola e avançar nessa direção. No momento em que fizer isso, você estará se dirigindo para o leste. Você nunca realmente *chega* ao leste, mas pode sempre verificar a bússola para se certificar de que está se dirigindo para o leste, e, se não estiver, você poderá se reorientar e continuar a viajar para o leste. As declarações de valores são como as direções. Elas são importantes para que você descubra, a qualquer momento, o que deseja estar fazendo. Afinal de contas, se você não sabe para onde está indo, você não chegará lá.

Um exemplo de declaração de valores é "ser amoroso e solidário". Que coisas você pode fazer para ser amoroso e solidário? Você poderia elogiar o seu parceiro, ajudar os seus filhos com o dever de casa, telefonar para a sua mãe, comparecer a eventos que são importantes para os membros da família, ajudar amigos a resolver problemas e assim por diante. Se ser amoroso for "ir para o leste", todos esses comportamentos o conduzem nessa direção. Conhecer a sua direção de viagem pode ajudá-lo a descobrir como você poderá querer se comportar em qualquer momento considerado. Repare, contudo, que ser amoroso e solidário nunca termina, assim como você nunca pode chegar ao "leste". Amoroso e solidário são qualidades de comportamento escolhidas, e você pode ser amoroso e solidário em qualquer momento do dia.

Os valores são diferentes das metas. Estas podem ser muito úteis para ajudá-lo a viver em harmonia com os seus valores, mas elas não são um substituto para eles. Comprar um belo presente de aniversário para o seu parceiro é uma meta. Mas depois de comprar o presente, o que acontece? Se você dá valor a ser amoroso, você pode se conscientizar desse valor e descobrir outra coisa para fazer que seja compatível com ser um parceiro amoroso.

Isso sem dúvida se aplica à saúde. Você pode ter a meta de perder trinta quilos, mas por que isso é importante? Você quer fazer isso em benefício do que? Se você dá valor a ser saudável e ativo, isso nunca termina, o que o torna um excelente guia para o comportamento. Em qualquer momento de qualquer dia você pode decidir, por exemplo, comer hortaliças em vez de um hambúrguer, ou dar uma volta em vez de assistir à televisão. Quando você faz essas coisas, sai ganhando! Você estará se comportando de uma maneira compatível com os seus valores. Você não precisará esperar até perder os quilos para viver os seus valores; você poderá vivê-los neste e em qualquer momento.

Isso é liberador. Se você deseja viver uma vida em consonância com valores, você pode optar por fazer isso em qualquer dia; não há necessidade de esperar. E se você sentir que escorregou, sempre poderá recomeçar a qualquer momento. Se os seus valores forem verdadeira e livremente escolhidos por você, refletindo qualidades de comportamento às quais você aspira, então viver em concordância com eles é a coisa mais importante que existe – muito mais importante do que os números na balança.

No entanto, se a sua única meta for perder peso, o que acontece se alcançá-la? Você deixa de tentar ser saudável? E se você não atingir a meta ou os números da balança não diminuírem durante uma semana? O seu valor de ser saudável e ativo mudou? As metas podem ser úteis, mas elas tendem a ser muito mais produtivas e alcançáveis quando são guiadas por valores. O segredo é conhecer os seus valores pessoais e usá-los para guiar o seu comportamento.

EXERCÍCIO
▷▷ Crie as suas declarações de valores

Neste exercício, vamos ajudá-lo a desenvolver algumas declarações de valores. Imagine uma situação ideal: como seria se você pudesse viver exatamente como deseja nas quatro áreas da vida com as quais você vem trabalhando. Que qualidades escolheria para o seu comportamento? Comece uma nova seção no seu diário com o título "Declarações de valores". Vamos lhe dar alguns exemplos para ajudar, mas lembre-se de que o que importa aqui são os seus valores pessoais. Passe algum tempo agora redigindo a sua declaração de valor para cada uma das quatro áreas:

Relacionamentos. *Por exemplo: ser um parceiro amoroso. Ser um amigo solidário e dedicado. Ser uma influência* *positiva para os meus filhos. Ser um membro da família participante e interessado.*

Trabalho ou instrução. *Por exemplo: continuar a aprender e crescer ao longo da vida. Ser um funcionário confiável e dedicado. Ser um colega de trabalho solidário. Contribuir para a instrução e o aconselhamento de outras pessoas.*

Interesses pessoais. *Por exemplo: comportar-se de maneiras que respaldem o crescimento espiritual. Ser bondoso e generoso. Ser divertido. Aceitar desafios.*

Saúde. *Por exemplo: ser ativo e interessado. Ser atento a como o meu comportamento afeta a minha saúde. Fornecer a nutrição e os cuidados pessoais que promovem a saúde a longo prazo.*

Como mencionado, as declarações de valores devem ajudá-lo a decidir como você deseja se comportar em determinada situação. Elas devem também ser voltadas para a ação. É por esse motivo que os nossos exemplos frequentemente começam com "ser". Leia as suas declarações do princípio ao fim e, se você não conseguir identificar dez maneiras de se comportar em consonância com qualquer uma delas – dez comportamentos efetivos que você poderia ter –, volte atrás e tente reescrever a declaração de modo que ela proporcione esse tipo de orientação.

Eis outro teste de uma declaração de valores: pense em uma ocasião na qual seria difícil se comportar em consonância com uma declaração de valores particular – talvez uma ocasião em que você esteja aborrecido com o seu parceiro ou um membro da família. Em seguida examine a sua declaração de valores com referência aos relacionamentos e imagine o que você poderia fazer que seria compatível com a sua declaração mesmo você estando aborrecido. Por exemplo, você pode estar descontente com o fato de o seu parceiro não ajudar o bastante com os afazeres domésticos. Gritar com ele não seria compatível com esse valor. No entanto, expressar calmamente as suas necessidades ao mesmo tempo em que ressalta o quanto você aprecia outras coisas que o seu parceiro faz é relativamente compatível com ser amoroso e solidário. Nas situações difíceis, as declarações de valores devem apontá-lo na direção de um comportamento mais compassivo e eficaz.

Dê uma última olhada nas suas declarações de valores e certifique-se de que elas se encaixam nos critérios acima. Em última análise, elas devem ser proveitosas para você. Se não forem, continue a trabalhar nelas.

EXERCÍCIO DE PRÁTICA PROLONGADA
▷▷ Tenha por meta uma vida de qualidade

Este exercício usa um diagrama de alvo (adaptado com permissão de Dahl e Lundgren, 2006) para ajudá-lo a acompanhar o quanto os seus comportamentos estão em consonância com os seus valores. Cada quadrante representa uma das áreas da vida com a qual você vem trabalhando neste capítulo. A ideia é usar o diagrama para criar mais equilíbrio entre as quatro áreas, o que pode promover uma vida saudável, dinâmica e satisfatória.

Este é o diagrama básico. Recomendamos preenchê-lo uma vez por semana. Sendo assim, você pode fazer cópias para poder usá-lo repetidamente.

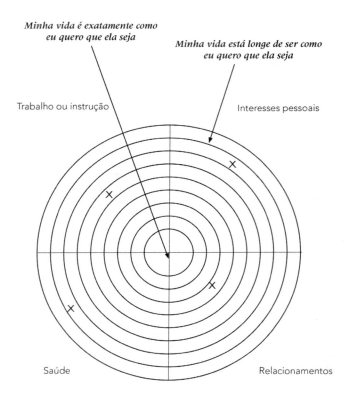

Para usar o diagrama, primeiro reveja as declarações de valores que você redigiu. Escreva a sua declaração de valores para cada esfera ao lado do quadrante correspondente. Em seguida coloque um X em cada quadrante para indicar o quanto você viveu em consonância com cada declaração de valores durante a última semana. Pense no alvo (o centro do círculo) como vivendo total e completamente em harmonia com esse valor. Se você sentir que o seu comportamento está mais afastado do seu ideal, então marque um X na direção da parte mais externa do alvo. Tenha em mente que um X no centro do diagrama não significa estar sempre se sentindo maravilhosamente bem e tendo pensamentos positivos ou que você alcança um sucesso total em todos os empreendimentos; mais exatamente, isso significa que você está se comportando como deseja se comportar, independentemente do que esteja acontecendo. Eis um exemplo baseado na história de John, no início deste capítulo:

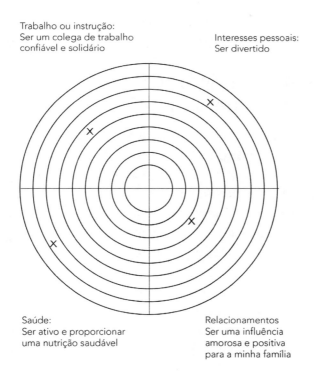

Trabalho ou instrução:
Ser um colega de trabalho confiável e solidário

Interesses pessoais:
Ser divertido

Saúde:
Ser ativo e proporcionar uma nutrição saudável

Relacionamentos
Ser uma influência amorosa e positiva para a minha família

Este diagrama revela que John está se saindo muito bem nos relacionamentos, porém não tão bem nas esferas do trabalho, da saúde e dos interesses pessoais. Por conseguinte, John poderia usar este diagrama para se orientar na direção dos seus valores antes e durante o trabalho, quando ele faz refeições e à noite. Não tente colocar de imediato todos os Xs no centro; isso é pedir demais de você mesmo. Pode ser proveitoso escolher uma área na qual se concentrar durante uma semana, e depois verificar no final dessa semana se você está vivendo mais em concordância com os seus valores nessa área.

Agora é a sua vez. Vá em frente e marque quatro Xs no diagrama de alvo baseado em quanto você acha que os seus comportamentos se harmonizaram com os seus valores na semana passada. Continue a usar o diagrama de alvo, preenchendo-o todas as semanas para verificar o seu progresso.

"Se é uma obrigação, então não quero fazer!"

Feche os olhos e imagine uma atividade que você pratique apenas para si mesmo, simplesmente porque ela proporciona alegria, vitalidade ou crescimento à sua vida. E não, você não pode escolher comer! Talvez você precise recuar um pouco no tempo, talvez até mesmo à infância, caso não tenha feito nada apenas para si mesmo há algum tempo. Essa atividade deve ser exclusivamente para você – algo que você faria mesmo que ninguém pudesse saber e que não tivesse nenhum propósito grandioso. Imagine-se praticando essa atividade e observe o que está sentindo no corpo. Conceda a si mesmo um minuto para imaginá-la em vívidos detalhes.

Imagine agora que alguém o está pressionando, exigindo de uma maneira ruidosa e agressiva que você faça essa atividade. Você agora precisa executar essa atividade para agradar a essa pessoa e outras que estão observando. Repare no que você está sentindo. Conceda a si mesmo um minuto para realmente se sintonizar com isso.

Você percebeu a diferença? Embora esteja imaginando a mesma atividade, o que você sentiu provavelmente foi muito diferente nos dois cenários. A sua motivação é bem diferente nas duas situações. Primeiro você estava fazendo algo significativo para você e, depois, estava fazendo a mesma coisa por um espírito de obrigação ou por se sentir forçado a fazê-la.

Você provavelmente passou por isso muitas vezes na vida. Talvez na escola tenha escolhido um livro que lhe pareceu divertido e interessante, mas depois descobriu que teria de lê-lo para uma prova, e tudo ficou diferente. Era o mesmo livro, mas a sua motivação mudou de um genuíno interesse para a ansiedade associada ao desempenho orientado por uma tarefa. De repente, ler aquele livro maravilhoso deixou de ser uma escolha; você teria de lê-lo, senão... É exatamente isso que acontece com as atividades saudáveis, com a diferença que, no caso destas últimas, não raro somos nós que estamos nos pressionando e gritando: *Você precisa fazer isso!*

Nós, seres humanos, fomos feitos para dançar, pular, correr e nos divertir. Observe crianças brincando e você poderá ver a alegria que elas sentem por simplesmente estar ativas. Infelizmente, as pessoas tendem a contaminar essas atividades alegres com os grilhões das exigências, expectativas de desempenho e "o que deveríamos fazer". Nós nos condenamos a dietas deprimentes e regimes de exercícios porque nós "temos de", porque o nosso corpo é "repulsivo", ou por causa do pensamento *Não posso mais me sentir dessa maneira*. Você poderia igualmente contratar alguém para oprimi-lo e gritar: "Mexa-se, prisioneiro!". Obviamente, esse contexto não é conducente à experiência da alegria de uma vida saudável.

Talvez você reconheça essa pessoa que está gritando com você interiormente. Talvez ela seja a sua mente, o pior orador motivacional do mundo; ou talvez um eco dos seus pais ou de seu parceiro. Você poderá ter de praticar algumas das novas habilidades que aprendeu para encontrar uma trajetória mais dinâmica ao longo do caminho (por exemplo, observar os seus pensamentos apenas como pensamentos).

Transforme a obrigação em uma escolha

Sem dúvida você já ouviu a frase "não pode ver a floresta por causa das árvores".[3] Esse ditado é bastante relevante para a perda de peso. Quando as pessoas se fixam em regras rígidas, é compreensível que não encontrem muita alegria na vida saudável. Elas estão tão concentradas nas árvores que têm diante de si que deixam de ver a beleza da floresta, com a sua abundante vegetação e fauna selvagem.

Uma das coisas mais maravilhosas a respeito dos valores é a maneira como eles o ajudam a expandir o seu horizonte temporal, ajudando-o a enxergar a floresta, por assim dizer. A vida de qualidade consiste em fazer o que é melhor para você a longo prazo, em vez de o que o faz se sentir melhor no momento. Conectar-se com os seus valores durante qualquer atividade o ajudará a deslocar o foco de qualquer mal-estar e resistência que você possa estar sentindo no momento (a árvore que está à sua frente) para como a atividade se encaixa na vida dinâmica e satisfatória que você escolheu (a majestosa floresta).

Imagine que você está correndo em uma esteira há trinta minutos e tudo o que pensa é que tem de fazer isso porque faz parte do seu plano de emagrecimento. É isso aí. Você precisa perder peso, e para conseguir isso precisa

---

[3] Tradução da expressão inglesa "can't see the Forest for the trees", e significa que a pessoa se concentra tanto nos detalhes que não consegue enxergar o quadro global. (N. dos trads.)

malhar. Agora imagine que você está se exercitando durante trinta minutos envolvido com o que o exercício encerra ou tem a oferecer. Talvez você saiba que exercitar-se regularmente o ajuda a dormir melhor à noite, o que lhe possibilita funcionar melhor no trabalho e em casa, respaldando o seu valor de ser um membro da família, amigo e colega de trabalho ativo e participante. Além disso, o exercício sistemático lhe confere mais energia para correr em uma corrida de cinco quilômetros para arrecadar fundos para a pesquisa do câncer, bem como para brincar com os seus filhos ou netos – sem mencionar que seria agradável estar vivo (e lúcido e com mobilidade) para ver os seus filhos ou netos se formarem na faculdade.

Exercitar-se em prol de todas essas coisas maravilhosas é uma história muito mais significativa do que "preciso perder mais um quilo". Lembre-se de que quem escolhe é você. A vida é sua, portanto faça o que é importante para você.

Pense em todas as coisas que você diz a si mesmo que "tem de fazer". Se algumas dessas coisas não se encaixam nos seus valores, talvez você possa deixar algumas delas de lado. Sinceramente, se não encontrar nenhum significado pessoal em uma determinada atividade, é perfeitamente aceitável que você desista dela. No entanto, primeiro dê a si mesmo a chance de encontrar um significado.

Apostamos como muitos comportamentos saudáveis encerram significado para você e que, se você fosse capaz de ver a floresta (relacionando-se com os seus valores), isso transformaria a experiência de praticar essas atividades, tornando-as mais profundas e dinâmicas. Você pode transformar "eu preciso" em "eu escolho" se se voltar para o que é importante para você dentro dessas ações. Eis um exemplo de um dia que inclui muitas possíveis ocorrências de "eu preciso" que podem ser transformadas em "eu escolho" por meio da adição do contexto de valores.

Áreas da vida	"Eu preciso"	Eu escolho (Qual é o valor?)
Saúde e relacionamentos	*Preparar o café da manhã da minha família*	*Agir com amor. Ajudá-los a começar o dia de uma maneira saudável. Ser um pai ou uma mãe amoroso(a) e solidário(a).*
Trabalho	*Preencher relatórios*	*Prover a subsistência da minha família. Apoiar os meus colegas de trabalho. Construir o meu conjunto de habilidades.*
Saúde	*Fazer uma refeição saudável no almoço*	*Prover o meu corpo de energia e nutrição para promover uma vida longa e saudável.*
Relacionamentos	*Buscar meus filhos na escola e em outros lugares*	*Participar das atividades dos meus filhos. Ouvi-los e interagir com eles nos momentos que temos para estarmos juntos.*
Saúde e interesses pessoais	*Caminhar para me exercitar*	*Ser ativo e empenhado. Cuidar do meu corpo.*

EXERCÍCIO DE PRÁTICA PROLONGADA
▷▷ Escolha fazer coisas que importam

Comece uma nova seção no seu diário com o título "Eu escolho". Agora, faça uma lista de coisas que você faz que estão em consonância com os seus valores, mas que frequentemente parecem obrigações, ou coisas "que você precisa fazer". Assim como na tabela precedente, escolha atividades que você com frequência tem dificuldade em executar, que você tenta se incitar a fazer, ou que você faz apenas por obrigação – ou simplesmente coisas que faz exclusivamente em prol da limitada tarefa de perder peso. Examine então o seu diagrama de alvo e as declarações de valores que você gerou e use-as como a sua bússola. Identifique o motivo pelo qual essas atividades são importantes e essenciais para você e conecte-se a ele. Em seguida, anote os valores dentro de cada atividade – as qualidade de "Eu escolho". Selecione pelo menos um comportamento em cada uma das quatro áreas e escreva os valores que estão por trás dele.

Pode ser mais fácil se envolver com comportamentos saudáveis se você consultar a sua bússola e lembrar a si mesmo o motivo pelo qual os escolheu. Além disso, é igualmente importante lembrar a si mesmo que você está escolhendo fazer essas coisas. Procure fazer isso durante uma semana e depois continue pelo tempo que julgar proveitoso.

Persista

Uma vez que você comece a avançar na direção desejada, rumo a uma vida saudável e dinâmica, você vai precisar perseverar nesses comportamentos por um tempo suficiente para obter a sua recompensa. É como correr: muitas pessoas dizem que são necessários de dois a três quilômetros para que comecem a ter um sentimento de fluxo ou sentir prazer na corrida.

Grande parte da recompensa do exercício reside em como ele afeta a maneira como você funciona no dia a dia, desenvolvendo a sua força, conferindo-lhe mais energia, ajudando-o a dormir melhor e assim por diante. Isso é muito diferente da recompensa imediata de comer chocolate. Nesse caso, você não precisa esperar nem um pouco! As coisas que são mais significativas e valiosas na vida frequentemente requerem tempo e paciência.

O quanto você é persistente diante das dificuldades? Quando você pensa em como deseja se comportar (não em quanto dinheiro você tem ou quão é bem-sucedido você é no trabalho e nos relacionamentos, mas apenas em como você deseja se comportar), o que o impede de viver exatamente assim, com plenitude e vitalidade? Os obstáculos são o tipo de coisa com que lidamos nos Capítulos 3 e 4: pensamentos, sentimentos e sensações físicas indesejadas, como a ansiedade, o medo do fracasso, pensamentos de não ser suficientemente competente, fortes anseios ou fadiga.

Persistir significa prosseguir em face desses obstáculos. Também envolve uma escolha – a escolha de continuar quando a sua mente começa a recriminá-lo ou lhe dizer para desistir. É a escolha de continuar quando você vivencia emoções das quais deseja escapar ou anseios que imploram para ser satisfeitos. A razão da persistência é o fato de ela promover os seus valores. O comportamento compatível com os valores é a chave de uma vida dinâmica que vale a pena ser vivida e de você se tornar o que almeja ser. Persistir é um ato de coragem.

EXERCÍCIO DE PRÁTICA PROLONGADA
▷▷ Permaneça imóvel

Este exercício o ajudará a exercitar a persistência e a prática de se sentar com desconforto. Leia o exercício do começo ao fim antes de fazê-lo.

Comece sentando-se em um lugar tranquilo e preste atenção ao fato de que o seu corpo está sentindo ativamente o ambiente. Em seguida, pratique a atenção plena da respiração durante dois minutos. Se você for distraído pelos seus pensamentos, observe durante alguns momentos onde eles o levaram e depois, sem fazer julgamentos, abandone esses pensamentos e leve novamente a atenção para a respiração. Faça isso durante todo o exercício sempre que perceber que a sua mente está divagando.

Leve completamente a atenção para o corpo. Começando pelos pés, examine lentamente o seu corpo até o alto da cabeça. Passe alguns minutos nesse processo, fazendo uma breve pausa sempre que notar uma nova sensação. Enquanto prestar atenção ao seu corpo, pratique permanecer perfeitamente imóvel, a não ser pelo subir e descer do seu peito e do abdômen durante a respiração. Você poderá notar uma coceira, uma vontade de se mexer ou algum outro desconforto, mas a sua tarefa desta vez é simplesmente observar esses desejos e sensações sem tentar torná-los diferentes. Permaneça imóvel... Simplesmente observe enquanto a sua mente, o corpo e as emoções lhe pedem para fazer alguma coisa e também repare que você pode permanecer perfeitamente imóvel apesar dessas solicitações.

Continue quieto enquanto observa as diferentes sensações no seu corpo, conscientizando-se de que você não precisa reagir a elas; você pode simplesmente observá-las. Apenas acompanhe-as enquanto elas vêm e vão embora. Você não precisa se sentir de certa maneira ou ter determinados pensamentos; precisa apenas permanecer imóvel. Continue a fazer isso durante cerca de dez minutos.

Recomendamos que você pratique regularmente este exercício durante as próximas semanas e meses. Ele o ajudará a desenvolver a persistência em face do desconforto.

Demonstre gratidão a si mesmo

À medida que você começar a criar novos hábitos saudáveis, será importante oferecer gratidão a si mesmo pelo seu esforço. Como mencionamos, a mente humana tende a ser altamente crítica. Mesmo que você complete hoje vinte tarefas, a sua mente poderá recriminá-lo por não ter feito quarenta. Pratique demonstrando gratidão a si mesmo pelas suas realizações e perdoando-se quando as coisas não tiverem ido tão bem.

EXERCÍCIO
▷▷ Escreva uma carta de agradecimento

Uma maneira fácil de promover vitalidade é escrever uma carta de agradecimento para si mesmo. Isso é mais eficaz do que apenas passar alguns momentos pensando a respeito das coisas. Ao escrever para si mesmo sobre como você estava mais cedo nesse dia, você introduz outra perspectiva, que é mais saudável e amorosa.

Procure identificar agora cinco comportamentos compatíveis com valores que você teve hoje. Eles podem ser pequenos (tomar um café da manhã saudável ou ajudar um colega de trabalho em uma tarefa) ou maiores (fazer uma caminhada de duas horas ou apoiar uma pessoa querida em uma experiência emocionalmente difícil). Em seguida escreva poucas linhas com base na sua perspectiva de si mesmo, aqui e agora, agradecendo a você, naquele momento, por fazer aquelas coisas mais cedo. Expresse também gratidão a si mesmo por tudo o que você faz em face da dificuldade. Vá em frente e escreva a carta agora.

✳ ✳ ✳

O que você notou enquanto escrevia a carta? A sua mente tentou lhe convencer de que você não merece gratidão ou de que o que fez não foi suficientemente importante? Se ela tentou, isso é perfeitamente aceitável. Quando isso acontecer, você pode agradecer à sua mente por interferir e simplesmente continuar a agradecer a si mesmo. Você se sentiu incomodado por expressar gratidão a si mesmo? Isso também é aceitável; você provavelmente não está acostumado a fazer isso. Oferecer gratidão a si mesmo é um ato de autocompaixão que requer prática. Veja se consegue praticar pequenos atos de gratidão para consigo mesmo ao longo da semana.

Comer não é gratidão

Realçamos esse fato anteriormente, mas ele merece ser repetido: comer alimentos salgados, gordurosos e adocicados não é gratidão e não é autocompaixão. É exatamente o oposto. Uma das ciladas mais comuns entre os nossos clientes é revelada por declarações como "decidi que eu não ia dizer não a mim mesmo" ou "foi um dia tão ruim que eu tinha de me proporcionar algum prazer". Sem dúvida, não há nada errado com comer alimentos não tão saudáveis de tempos em tempos, particularmente se você planejar que vai fazer isso e encaixá-los no seu estilo de vida. Mas comer alimentos altamente calóricos em nome da autocompaixão é apenas a evitação disfarçada de gratidão. É um exemplo clássico da armadilha do preciso de conserto. Comer para se confortar ou fazer com que um anseio vá embora, em oposição a comer para nutrir o seu corpo, é um ato que diz: *Não gosto da maneira como estou me sentindo. Não é aceitável me sentir assim, e preciso mudar isso.* Não confunda comer com gratidão genuína com atos restaurativos de bondade, não importa o que a sua mente lhe diga! Entre os atos restaurativos de bondade estão dar um passeio pitoresco, participar de atividades com amigos e entes queridos, passar algum tempo sozinho e tranquilo praticando uma atividade recreativa você considere agradável e que não prejudique a sua saúde ou o ajude a evitar sentir o que está sentindo.

Além da perda de peso: aperte o botão *play* na vida

Criar hábitos saudáveis em relação aos relacionamentos, ao trabalho, aos interesses pessoais e ao crescimento é tão importante, ou talvez até mais importante, quanto a perda de peso na busca de uma vida mais dinâmica. Por outro lado, se você estiver apenas concentrado na tarefa limitada da perda de peso, é bem provável que esteja deixando escapar a visão global. Uma das melhores maneiras de melhorar a sua saúde como um todo é viver os seus valores concentrando-se em coisas que importam, em vez de apenas controlar o seu peso.

É fácil cair na armadilha de trabalhar no seu peso para que *depois* você possa ter a vida que deseja. Novamente, essa é a armadilha do preciso de conserto. Você só irá viver a sua vida ideal quando tiver "consertado" o que quer que perceba que está errado com o seu corpo, o que, supostamente, dará origem a mais pensamentos e sentimentos positivos a respeito de si mesmo. É compreensível que as pessoas caiam nessa armadilha. Afinal de contas, esse é o conhecido refrão dos programas de dieta: "Tenha uma aparência melhor, sinta-se melhor e depois você poderá ter uma vida magnífica!". Esperamos sinceramente que isso agora soe como conversa fiada para você.

Mesmo que você não se deixe mais convencer pela agenda do preciso de conserto, você pode ter caído nessa armadilha antes de ler este livro. Há uma boa chance de você ter apertado o botão *pause* na vida pelo menos em algumas áreas. Queremos que você reverta esse roteiro. Se você ainda não começou, está na hora de apertar novamente o botão *play* na vida. Neste momento, hoje, você pode decidir fazer as coisas que são importantes para você, viver em consonância com os seus valores, buscar o que é importante para você, independentemente de sentimentos de vergonha ou constrangimento, autoavaliações a respeito do seu peso e da sua aparência, ou medo do que os outros poderiam pensar a seu respeito. Você pode abandonar o empenho em vencer a guerra contra a maneira como você pensa e se sente e, em vez disso, se concentrar em buscar o que é importante para você. Nada o está impedindo. É uma escolha – e é uma escolha que você faz repetidamente. Cada momento é uma nova oportunidade de fazer essa escolha, não importa o que tenha acontecido antes.

EXERCÍCIO DE PRÁTICA PROLONGADA
▷▷ **Aperte o botão** *play*

Passe alguns momentos revendo as declarações de valores que você escreveu no seu diário e depois reflita sobre a sua vida nos últimos meses ou anos, identificando pelo menos três maneiras pelas quais você apertou o botão *pause* na vida. Essas seriam coisas que você aprecia ou poderia apreciar e que lhe são importantes, mas você protelou ou parou de fazer devido ao seu peso ou por causa de pensamentos ou sentimentos indesejados, como a autoavaliação ou a ansiedade ou do medo desses pensamentos ou sentimentos. Entre os exemplos típicos estão dançar, fazer novos amigos, ir à praia, sair para se divertir com colegas de trabalho, nadar, a intimidade, buscar novos interesses, ser voluntário, interagir com certos amigos ou membros da família, fazer um curso, começar um novo *hobby* ou uma prática espiritual. É claro que somos todos distintos, e as atividades a que você não se dedicou podem ser completamente diferentes. Escreva no seu diário o título "Apertando o botão *pause* na vida" e em seguida relacione três maneiras como fez isso.

Depois, identifique de três a cinco coisas que você pode começar a fazer neste momento que estariam em consonância com as suas declarações de valores e que o ajudariam a se aproximar mais do centro do alvo na sua vida. Elas não precisam ser grandes empreendimentos, embora nós o incentivemos a ser realmente audacioso! O mais importante é que sejam passos em direção a uma vida mais dinâmica e que o façam agir em áreas nas quais você apertou o botão *pause*. Escreva o título "Apertando o botão *play* na vida" no seu diário e relacione essas ações embaixo dele.

Pedimos que você se comprometa a fazer essas coisas – a apertar o botão *play* na vida – no decorrer da próxima semana. E não se contente com essas três ações. Com o passar do tempo, continue a identificar maneiras – grandes e pequenas – de viver a vida que deseja viver *neste momento*. Em seguida, adicione-as à sua lista e comprometa-se a fazê-las.

No final de cada semana, quando tiver completado um novo diagrama de alvo, marque também se você executou essas novas atividades. Se executou, não deixe de imaginar outras, diferentes, para a próxima semana. Se não executou, procure identificar o que o atrapalhou. Existem pensamentos com os quais você pode praticar se relacionar de uma maneira diferente, como foi delineado no Capítulo 3? Ou talvez você note que uma falta de disposição está atrapalhando, em cujo caso talvez seja interessante rever o Capítulo 4. A sua mente provavelmente dirá coisas como *Estou ocupado demais para fazer isso* e esses pensamentos poderão ser válidos em determinado sentido. Mas, se você olhar mais de perto, os pensamentos ou sentimentos, ou o desejo de evitá-los, provavelmente estão desempenhando um papel. Até mesmo concordar com o pensamento *Estou ocupado demais* é uma parte da equação. Faça um esforço especial para procurar pensamentos ou sentimentos, ou desejos de evitá-los, que possam estar se manifestando como um obstáculo. Tente partir do ponto de vista de que isso está decididamente acontecendo, e que você é um detetive tentando descobrir como os pensamentos e sentimentos estão atrapalhando. A tendência de evitar pensamentos dolorosos é muito forte, e a sua mente inventará histórias para ajudá-lo a evitá-los, então permanecer precavido com relação a isso é uma boa ideia.

EXERCÍCIO
Encontre significado na dor

Nós nos concentramos em você e no seu comportamento ao longo de todo este capítulo. Esse quebra-cabeça contém outras peças importantes: todas as outras pessoas e coisas! Não podemos realmente dizer: "Busque apenas o que importa e tudo ficará às mil maravilhas!". Não é assim que o mundo funciona. Você pode fazer um trabalho magnífico e ainda assim não conseguir uma promoção. Pode se abrir para o seu parceiro e ser traído por ele. Pode apoiar um membro da família e receber críticas em troca. Inquestionavelmente, a vida envolve sofrimento.

Passe alguns momentos recordando uma ocasião em que alguém próximo a você o tenha realmente magoado. O que aconteceu? Por que doeu tanto? Comece uma nova seção no seu diário com o título "Recordando a dor" e passe mais ou menos cinco minutos escrevendo a respeito do que aconteceu e como isso afetou o que você fez e como viveu posteriormente. Vá em frente e faça isso agora.

✳ ✳ ✳

Temos um ditado na ACT: você encontra os seus valores na sua dor e a sua dor nos seus valores. Em outras palavras, se você não se importasse, não sofreria. Se você ama o seu parceiro, ele pode fazer você sofrer com uma traição, ridicularizando-o ou não sendo solidário com você. Você sofre precisamente porque se importa. Você provavelmente valoriza os relacionamentos solidários e mutuamente satisfatórios. Quando você se importa, o potencial para a dor está presente. Para não sofrer, você precisaria não se importar com o relacionamento.

Naturalmente, o outro lado disso é que se você não se importasse com os relacionamentos, você talvez não sofresse, mas também não poderia vivenciar nenhum dos aspectos maravilhosos de interagir com os outros. Para vivenciar amor, alegria e apoio, você precisa estar aberto a essa experiência e se importar com ela. Isso o torna vulnerável à dor.

A sua mente deseja protegê-lo da dor. Digamos que o seu parceiro o tenha traído. A sua mente poderá se manifestar dizendo: *Chega. Nunca mais vou ser vulnerável!* A autoproteção parece uma resposta razoável. Infelizmente, em certo sentido, isso aumenta o dano, porque coloca em uma zona proibida algo com que você se importa profundamente. Além de sentir a dor da traição e da perda, você também deixa de desfrutar todos os benefícios de amar e interagir com as pessoas.

É como os dois lados da mesma moeda. Um dos lados envolve a conexão, o carinho e o apoio – em poucas palavras, o amor –, e o outro envolve críticas, traição e abandono – em poucas palavras, a dor. Para se aproximar do amor, você precisa ao mesmo tempo se abrir à possibilidade da dor. Fazer isso é um ato de coragem. É tratar a si mesmo como sendo capaz e completo. É viver a vida de uma maneira que importa, voltada para como você deseja ser, em vez de apenas para o que acontece.

Vamos examinar essa dinâmica mais de perto. Pegue uma ficha ou um papel de rascunho e anote um valor importante em um dos lados. Do outro, escreva a respeito da possível dor que poderá surgir ao buscar esse valor. Vá em frente e faça isso.

Agora, dê uma olhada na ficha. Repare que se você jogá-la fora, poderá se livrar da possibilidade de sentir dor, mas também estará jogando fora o seu valor e as recompensas de viver em harmonia com esse valor. Esse é o enigma que todos enfrentamos, e é por isso que nos referimos a uma vida bem vivida como vital, em vez de feliz. Viver com vitalidade significa viver de uma maneira que importa, e não que tudo sempre terá consequências maravilhosas. Isso simplesmente não é possível. No entanto, se você vive de uma maneira que importa, de uma maneira vital, você terá uma gama completa de experiências na vida, entre elas muita alegria. Você terá alegria e dor, sucesso e fracasso, esperança e medo.

Sem dúvida, você pode se concentrar em tentar se proteger dos aspectos negativos, mas essa postura tem a tendência de não dar muito certo. A dor se infiltrará furtivamente. Além disso, jogar o jogo da evitação pode gerar sentimentos de falta de propósito e até mesmo de depressão, o que é extremamente doloroso. Portanto, tentar se proteger da dor pode, involuntária e paradoxalmente, criar muita dor.

Você deseja passar o resto da sua vida tentando evitar a dor ou viver corajosamente, escolhendo agir em harmonia com os seus valores e deixando os aspectos positivos e negativos fluírem naturalmente? Todos podemos nos permitir estar um pouco mais à vontade com o ficar insatisfeitos. Quando fazemos isso, o mundo se torna repleto de maravilhas e oportunidades. Como sempre, a escolha é sua e está sempre disponível para você.

Avançando mais

Viver os seus valores requer prática. Você não pode identificá-los uma vez e se esquecer deles. É como navegar com uma bússola: você precisa verificá-la periodicamente. Talvez você tenha se desviado um pouco da rota e não esteja mais viajando para o leste. Ou talvez os seus valores tenham mudado ou a prioridade de alguns dos seus valores mudou. Isso é perfeitamente aceitável. Mas, se você não verificar, não terá certeza do rumo que está seguindo e se desejará fazer uma correção de curso. Como em tudo neste livro, o segredo é praticar muito. O restante deste capítulo oferece exercícios que o ajudarão a praticar e persistir em uma vida baseada em valores.

EXERCÍCIO DE PRÁTICA PROLONGADA
▷▷ Lembre a si mesmo os seus valores

Este é o exercício mais simples que temos no livro. Como você pode manter em foco os seus valores quando é tão fácil se perder nos detalhes e nas tarefas do dia a dia aparentemente limitadas e repetitivas? Que tal um lembrete de valores?

Identifique um objeto que possa ajudá-lo a se lembrar de uma coisa importante para você. Por exemplo, se ser ativo, saudável e dedicado aos seus netos for importante, coloque uma foto deles em um lugar onde você a veja enquanto estiver cozinhando para se lembrar de por que escolhas saudáveis envolvem algo mais do que seguir uma dieta. Ou então, se ser amoroso e solidário com membros da família for importante para você, experimente afixar uma frase que considere significativa no seu computador ou em algum lugar onde você a veja com frequência como um lembrete de como você quer se comportar. Você também pode escolher usar algo especial, como uma pulseira, para simbolizar um valor importante. Escolha três lembretes de valores e use-os para ajudar a orientar diariamente os seus valores.

EXERCÍCIO DE PRÁTICA PROLONGADA
▷▷ Avalie se os seus valores mudaram

Discutimos como um foco restrito no peso e nas regras da dieta pode na verdade prejudicar as suas chances de ser bem-sucedido nas suas tentativas de perder peso. Isso pode acontecer, por exemplo, se você tiver o pensamento *Eu estraguei tudo*. Esse pensamento frequentemente é acompanhado por alguma versão de *Que se dane!* (obrigado, mente!), seguido por escolhas alimentares pouco saudáveis ou comilança. A lógica é simples: *Como eu baguncei tudo e ingeri calorias demais, já acabei mesmo com a minha dieta, então não faz diferença se eu continuar a comer*. O conselho popular das dietas é que você tente evitar esse tipo de pensamento tudo ou nada. Ele soa muito bom na teoria, mas, como você aprendeu, a sua mente vai fazer o que ela faz, e você não tem muita autonomia nessa questão.

Nós propomos uma abordagem diferente dessa armadilha. Confira os seus valores. Quando você se desviar do rumo, pergunte a si mesmo se os seus valores mudaram. Na maioria dos casos, a resposta será não. E eis a beleza da vida baseada em valores: se você fizer alguma coisa que não esteja em concordância com os seus valores, como comer uma enorme fatia de bolo sem ter planejado isso, você pode imediatamente mudar de atitude e fazer coisas compatíveis com os seus valores, como preparar uma refeição saudável para o dia seguinte, fazer exercício, dar o resto do bolo para um vizinho e assim por diante. No momento em que você adota o comportamento compatível com valores, você volta ao rumo certo. Você não precisará esperar perder os quilos de novo; você endireitou o navio.

O macete é rapidamente se reorientar, voltar aos seus valores e começar a ter comportamentos compatíveis com valores. Dessa maneira, você ganhará menos peso a curto prazo e continuará a perder mais peso a longo prazo, porque evitou o que pode ser chamado de armadilha do dane-se. Você não está medindo a sua vida com calorias (especialmente não com calorias que você já consumiu); você está medindo a sua vida com ações e com o que está fazendo no momento. E você sempre pode escolher de acordo com os seus valores em cada novo momento.

Pratique esta abordagem durante um mês. Todas as vezes em que você reparar que se desviou do rumo com a sua alimentação, procure notar a influência de *Dane-se!* Quando notar isso, pare o que quer que esteja fazendo e passe alguns momentos escrevendo a respeito dos seus valores de saúde e do que é importante para você. Proponha três comportamentos que estejam em consonância com os seus valores de saúde que você possa ter nesse dia, de preferência naquele momento ou imediatamente depois. Em seguida, assuma o compromisso de fazer essas três coisas. Eis um exemplo de como você poderia estruturar isso no seu diário.

Situação: *Comi três pedaços de pizza em uma festa no trabalho.*

O que a sua mente disse? *"Sou um fracasso. Nunca consigo perder peso. Sou fraco."*

Como você se sentiu? *Um caso perdido, triste e envergonhado.*

Quais são os seus valores de saúde? *Ser ativo e participante, nutrir o meu corpo, acumular energia para os meus relacionamentos e interesses pessoais.*

O que você pode fazer hoje? *Posso fazer uma longa caminhada. Posso preparar um plano de refeições saudáveis para os próximos três dias. Posso pedir a um amigo que me ajude a fazer escolhas alimentares saudáveis durante o resto da semana.*

Lembre-se de fazer isso pelo menos durante um mês. Esta prática o ajudará muito a formar novos hábitos mais saudáveis e mais compatíveis com os seus valores.

EXERCÍCIO DE PRÁTICA PROLONGADA
▷▷ Negocie os conflitos de valores

Os clientes frequentemente nos dizem o seguinte: "Não posso fazer tudo. O que devo fazer se os meus valores entram em conflito?". Nessa situação, a primeira coisa a se notar é que a mente entrou na equação. Ela tende a criar falsos conflitos que parecem requerer uma resposta do tipo tudo ou nada, preto ou branco. Contudo, essa abordagem não é relevante para a vida baseada em valores.

Digamos que você valorize ser um funcionário produtivo e participante e também um membro da sua família amoroso e dedicado. Às vezes, você poderá notar que as exigências do trabalho parecem o impedir de viver à altura do seu valor relacionado com a família. No entanto, a questão aqui não é que valor você deve focalizar, e sim como viver os seus valores dentro das limitações práticas da sua vida. Em outras palavras, se você não está em casa tanto quanto gostaria de estar, como pode permanecer conectado? Você pode enviar um rápido *e-mail* carinhoso? Pode levar para casa um sinal de afeto, como flores ou um pequeno presente? E, o que é mais importante, quando estiver em casa, como você poderá passar bem o seu tempo? E se você deixar de assistir a um programa de televisão para bater um longo papo ou ajudar com alguma coisa no tempo limitado que você tem? E se você tiver em encontro romântico com o seu parceiro? Até mesmo nas situações mais difíceis, como quando uma pessoa trabalha no turno da noite e a outra durante o dia, ainda assim é possível passar as horas que os dois têm acordados juntos de uma maneira carinhosa e dedicada se você se relacionar com os seus valores e identificar comportamentos compatíveis com esses valores. O segredo não é que valor você deve focalizar, e sim como se comportar sistematicamente de acordo com os seus valores com o tempo e os recursos limitados disponíveis.

No caso dos valores relacionados com a saúde, uma queixa habitual é não ter tempo para ser ativo. Mas o tempo, na verdade, está presente se as pessoas escolherem usá-lo dessa maneira. A sua mente pode ter-lhe dado regras a respeito de como você precisa se exercitar: *Você tem de malhar pelo menos durante trinta minutos porque senão é perda de tempo*. Bobagem! Até mesmo dez minutos de exercício serão benéficos. E ao se exercitar durante dez minutos três vezes por dia, você terá feito meia hora de exercícios.

A mente humana é mestre em criar conflitos de valores. Tome medidas para reconhecer quando isso estiver acontecendo e depois faça o que puder tendo em vista o tempo e os recursos que você tem disponíveis.

Neste momento, procure reconhecer pelo menos duas áreas em que você pareça ter conflitos de valores. Escreva no seu diário o título "Conflitos de valores" e depois relacione-os. Para cada um deles, escreva a respeito de como você pode viver esse valor dentro de quaisquer limitações práticas que você enfrente. Faça uma lista de cinco a dez maneiras de viver cada valor e não deixe de incluir tanto ações pequenas quanto ações um tanto maiores. Em seguida, elabore um plano para experimentar algumas dessas opções ao longo da próxima semana. No final da semana, não deixe de rever o seu plano para saber se fez tudo o que pretendia. Se não fez, tente novamente na próxima semana ou escolha outras ações compatíveis com valores que possam estar mais em consonância com a sua vida neste momento. Se você realizou essas ações, reavalie se ainda parece ter um conflito de valores, e se tiver, escolha mais ações para experimentar ao longo da próxima semana.

EXERCÍCIO DE PRÁTICA PROLONGADA
▷▷ Resgate a alegria na atividade física

O seu corpo sempre está presente para você e com frequência trabalha em silêncio. Como você pode usar atividades para demonstrar gratidão ao seu corpo? A atividade física pode proporcionar um sentimento de propósito e é, de muitas maneiras, um ato de amor. Ela inicia processos no cérebro que aumentam a produção de neurotransmissores, os quais promovem o bem-estar. Além disso, é claro, ela também fortalece o coração e melhora a circulação do sangue.

O exercício pode assumir várias formas, como o levantamento de pesos, a caminhada, aulas de ginástica, a dança, a natação e o yoga. Pode ser simplesmente uma atividade, como subir escadas, praticar a jardinagem ou limpar a casa. Pense em atividades que você poderia praticar que personificariam para você os cuidados consigo mesmo e a saúde. Talvez você deseje desenvolver mais força, criar mais harmonia e equilíbrio no seu corpo ou promover o sentimento de estar presente no corpo.

Escreva no seu diário o título "Atividades físicas que eu quero experimentar" e, em seguida, relacione quantas atividades desejar. Sinta-se à vontade para pesquisar na internet ou discutir ideias com outras pessoas. Vá em frente e redija a sua lista agora.

❋ ❋ ❋

Ao longo das próximas seis a oito semanas, empenhe-se em praticar regularmente pelo menos três dessas atividades. Quando fizer isso, dedique-se intensamente a elas pelo menos quatro ou cinco vezes antes de avaliá-las. A longo prazo, é crucial que você escolha atividades que aprecie para que possa continuar a praticá-las. Se o exercício não lhe proporcionar um prazer imediato, tente identificar outros benefícios, como a forma como eles podem promover qualidades que você gostaria de desenvolver. Com o tempo, registre as mudanças globais no seu nível de energia e funcionamento físico, com quaisquer outros benefícios.

EXERCÍCIO DE PRÁTICA PROLONGADA
▷▷ Resgate a alegria de comer de uma maneira saudável

O seu corpo é nutrido e curado por alimentos saudáveis. Consumir alimentos naturais ricos em nutrientes e em fibras ajuda a garantir que o seu corpo funcione de uma maneira ótima, reduzindo a chance de doenças e enfermidades ao mesmo tempo em que fornece a energia que possibilita viver de uma maneira arrojada e dinâmica. Os alimentos básicos de uma alimentação saudável são frutas, hortaliças, grãos integrais, leguminosas, nozes em geral e sementes, com quantidades limitadas de peixe, carne magra e laticínios, se você optar por comê-los. A maioria das pessoas come menos desses alimentos saudáveis do que o ideal – com frequência, muito menos. Este exercício se destina a ajudá-lo a resgatar a alegria de comer esses alimentos.

Escreva no seu diário o título "Receitas saudáveis que quero experimentar". Depois, passe diariamente algum tempo procurando na internet ou em livros de culinária receitas que contenham muitas frutas, hortaliças, grãos integrais ou leguminosas. Você também pode pedir receitas a outras pessoas. Comprometa-se a experimentar uma receita nova por semana e a aumentar a sua coleção de receitas saudáveis. Se você achar um prato saboroso ou satisfatório, procure outros parecidos com ele. Mantenha as receitas de que você gostou em um arquivo e continue a experimentar outras durante pelo menos oito semanas. À medida que você incluir mais alimentos saudáveis na sua alimentação, observe quaisquer mudanças no seu nível de energia e funcionamento físico e veja se eles se encaixam nos seus valores.

Resumo

Neste capítulo, você aprendeu a esclarecer os seus valores, conhecer o que é importante para você e tomar medidas, no momento presente, para viver em harmonia com os seus valores. Acreditamos que você encontrará alegria em hábitos saudáveis como mover o corpo, comer alimentos nutritivos, promover relacionamentos, oferecer compaixão e gratidão a si mesmo e dedicar-se a atividades significativas para você. Os valores podem ser a sua bússola na busca do que é mais importante, ajudando-o a traçar uma trajetória de comportamentos desejados, conferindo-lhe a força necessária para persistir em face de dificuldades e tornando acessíveis oportunidades de fazer coisas novas ou coisas que pareciam estar em uma zona proibida. Você pode escolher agir com disposição e viver em harmonia com os seus valores em qualquer momento. Viver baseado em valores é uma abordagem que enriquecerá a sua vida.

Capítulo 6

Juntando tudo

Lisa começou a engordar depois que o seu filho morreu. Ao viver com aquela dor inimaginável, ela encontrou conforto na comida. Durante a terapia do luto, ela começou a se abrir à sua tristeza e a abrir espaço para ela como uma parte da sua vida. Ela também aceitou os seus pensamentos e se conscientizou mais deles, parando de lutar contra esses pensamentos. Afinal de contas, os seus pensamentos estavam ligados à memória do seu filho, e livrar-se deles significaria perder muitas lembranças maravilhosas.

À medida que Lisa desenvolveu mais aceitação, ela também modificou o seu relacionamento com a comida e começou a usá-la mais para nutrição e menos para conforto. Além disso, passou a se dedicar mais aos netos, em consonância com o seu valor de desejar ter uma influência positiva sobre eles. Ela começou a se exercitar e a interagir com mais frequência e de uma maneira mais profunda com as pessoas que amava. E, na medida em que passou a se relacionar com o que era importante na sua vida e colocou o seu comportamento mais em sincronia com os seus valores, ela perdeu peso. Em resumo, ela alcançou um grande sucesso.

Entretanto, ela também descobriu que a vida encerrava outros testes para ela. O seu marido perdeu o emprego e, pela primeira vez em anos, eles se viram em dificuldades financeiras. O estresse fez com que Lisa voltasse a comer para se reconfortar, e ela começou a engordar de novo. Ela também voltou a se desligar das pessoas que eram importantes para ela.

De algumas maneiras, a experiência de Lisa é comum. As pessoas que conseguem formar novos hábitos saudáveis não raro têm dificuldade em mantê-los. A vida tem uma maneira de enviar novos estressores na nossa direção, o que frequentemente aumenta o nosso contato com amigos íntimos na forma de pensamentos e sentimentos indesejados.

Velocidade máxima à frente

Você certamente progrediu muito, e estamos muito felizes por você ter permanecido conosco nesta jornada! Neste capítulo, você vai aprender a usar todas as habilidades deste livro em conjunto – e como distinguir se você está no rumo certo e vivendo uma vida baseada em valores ou se desviando da rota. Os exercícios neste capítulo vão ajudá-lo a estabelecer novos hábitos saudáveis e também a retornar a uma vida saudável ao enfrentar novos desafios.

EXERCÍCIO
▷▷ Escreva uma nova história da sua vida

Neste exercício, você vai usar o que aprendeu neste livro para escrever uma nova história da sua vida com uma metáfora organizadora. Você é o herói dessa história e encontrará desafios ao longo do caminho. Primeiro, dê à história um título significativo para você. Se deseja encontrar ou redescobrir a alegria de uma vida saudável, o título da sua história pode ser "Viver com amor". Se você deseja enfrentar mais audaciosamente os desafios de uma vida saudável, o nome da sua história pode ser então "O desafiador compassivo". Seja criativo e escolha algo que se enquadre na sua experiência. Escreva o título em uma nova página do seu diário. Dê também um nome ao seu herói (não há problema se esse também for o título da história). Este é um longo exercício. Sinta-se à vontade para fazer intervalos ou levar alguns dias para concluí-lo.

Primeiro ato: Uma nova direção

No primeiro ato, o herói deseja seguir em uma nova direção. Consulte a sua bússola de valores e trace uma nova direção de percurso que o conduzirá em uma direção dinâmica e significativa. Desenhe o caminho no seu diário e rotule-o de "Vida saudável compassiva". Talvez seja interessante fazer o desenho em duas páginas para ter mais espaço.

Em seguida, desenhe algumas placas ao longo do trajeto que o informarão se você está no caminho certo. Caso necessário, remeta-se ao seu trabalho com valores no Capítulo 5. Comece com a saúde e, depois, aborde as outras três esferas: relacionamentos, trabalho ou instrução e interesses pessoais. Por exemplo, algumas placas ao longo do caminho podem indicar a realização de exercício, o preparo de almoços saudáveis em casa, educar-se a respeito da comida ou comer muitas hortaliças. Para os relacionamentos, as placas podem indicar participar de atividades com membros da família, ser gentil com os seus filhos, escutar compassivamente os amigos ou ter momentos de intimidade com o seu parceiro. Você pode traçar diferentes caminhos para as diferentes áreas da vida, se isso ajudar. Conforme for repetidamente vendo essas placas, você saberá que está seguindo na direção que deseja ir. Você estará vivendo a sua nova história. Se não passar mais por essas placas, você talvez tenha se desviado do rumo certo. Essa também é uma placa: um sinal de que você precisa verificar o que causou o desvio.

Segundo ato: O conflito

Na sua aventura, você encontra muitos encrenqueiros. Eles o fazem se desviar do rumo dizendo-lhe para fazer coisas incompatíveis com uma vida compassiva e saudável. Você conhece bem esses encrenqueiros. Eles são os pensamentos, sentimentos e sensações físicas indesejados, como os anseios ou a fadiga. Dê um nome aos pensamentos, sentimentos e sensações que se repetem: Anseio Capitão Chocolate, Super-Homem Estressado, Monstro da Gratificação, João Superocupado, Professor Festeiro, Sr. Eu Não Posso, Maria Vergonhosa, Pedro Nervoso e assim por diante. Identifique os cinco encrenqueiros mais familiares e relacione-os no seu diário, certificando-se de que há pelo menos um de cada tipo (pensamentos, sentimentos e sensações).

Em seguida, crie uma personalidade para cada um dos cinco. Por exemplo, o Anseio Capitão Chocolate é um cara animado e convincente que sempre aparece quando o herói está mais vulnerável. O Sr. Eu Não Posso é prático e direto. Está sempre autoconfiante e diz constantemente ao herói o que ele *não pode* fazer. Reveja o que você escreveu no seu diário ao trabalhar nos Capítulos 2, 3 e 4 para preencher os detalhes da personalidade de cada um dos personagens. Que tipo de coisas ele dizem? Como eles agem?

Em seguida, escreva uma breve história a respeito de como o herói costumava reagir a cada encrenqueiro. Quais eram os antigos hábitos do herói? Quando o herói tentou enfrentar cada encrenqueiro, o que aconteceu? O que o herói acabava fazendo para apaziguar cada encrenqueiro e para ele deixar de pressioná-lo? Examine também se isso fez o herói se desviar do rumo, do ponto de vista da vida baseada em valores. Descreva minuciosamente quaisquer comportamentos de evitação que tenham optado pelo bem-estar a curto prazo à custa de uma vida de qualidade a longo prazo.

Pense ainda no seguinte: esses encrenqueiros realmente desejam ferir o herói? A Maria Vergonhosa quer que o herói sinta dor apenas porque ela é perversa? O Super-Homem Estressado está apenas atormentando o herói? Ou, como o orador motivacional equivocado do Capítulo 3, esses aparentes obstrucionistas, os pensamentos, sentimentos e sensações físicas, têm de fato boas intenções, embora equivocadas? É possível que eles estejam, mesmo que de maneira improdutiva, tentando evitar que o herói seja prejudicado? Por exemplo, Maria Vergonhosa talvez se lembre de momentos em que você foi muito magoado e não queira que você se sinta dessa maneira de novo. Na verdade, ela está cuidando de você. Talvez o Super-Homem Estressado queira que você seja o melhor possível e se preocupa com a possibilidade de você não conseguir lidar com tudo. Talvez o Anseio Capitão Chocolate se recorde de quando o chocolate era a única coisa capaz de fazer você se sentir melhor.

De uma maneira bizarra, esses encrenqueiros têm, de fato, boas intenções. Mas, quando a sua vida muda, como irá mudar, eles não o acompanham. Comer chocolate para se sentir bem não funciona quando você deseja melhorar a sua saúde. Evitar a intimidade para apaziguar Maria Vergonhosa cria um vazio no seu relacionamento.

É como se você precisasse escrever uma carta e a sua mente estivesse lhe entregando um martelo em vez de uma caneta. O martelo é uma ferramenta útil, porém inadequada para a tarefa em questão. Os encrenqueiros são bem-intencionados. Eles querem protegê-lo e ajudá-lo a sobreviver, mas são as ferramentas erradas para a tarefa e estão atrapalhando o seu trabalho.

Veja se consegue descobrir as boas intenções por trás da abordagem improdutiva de cada um dos seus encrenqueiros e depois escreva essas intenções no perfil de cada personalidade.

Terceiro ato: A resolução

À medida que a aventura progride, o herói é capaz de reconhecer as boas intenções, embora equivocadas, que motivam cada encrenqueiro. Isso possibilita ao herói recorrer à bondade e à compaixão para reconhecer os encrenqueiros e se relacionar com eles de uma maneira diferente. Em vez de discutir com eles e tentar derrotá-los, o herói os convida para acompanhá-lo na jornada, apesar de eles poderem representar uma distração. O segredo é que o herói continua a avançar pelo caminho, não importa o quanto o grupo de encrenqueiros seja grande, barulhento ou perturbador.

Pense a respeito dos cinco encrenqueiros que você descreveu e escreva a respeito de como o herói poderia responder a cada um de uma maneira amável e eficaz, com autocompaixão, a fim de continuar a avançar pelo caminho. Uma vez mais, você pode desejar se remeter ao seu trabalho nos Capítulos 2 a 4. Por exemplo, pense em um encontro com João Superocupado. Em vez de discutir com ele, o herói reconhece que João acreditará estar ocupado demais e que é aceitável que ele o acompanhe e grite *Ocupado Demais!* Durante todo o trajeto. Ou o herói poderá encontrar Maria Vergonhosa e, em vez de tentar expulsá-la, reconhecê-la e respeitar a dor que ela passou, permanecendo ao lado dela enquanto ambos se dedicam audaciosamente às coisas que importam, como ir à praia, malhar ou dançar. Escreva uma história a respeito de como o herói trata cada encrenqueiro com bondade amorosa e o convida a se juntar a ele na jornada.

Os encrenqueiros podem ter dado a impressão de ser assustadores no início, mas agora provavelmente devem se parecer um pouco com os sete anões. Eles podem ser incômodos e persistentes, mas são, na verdade, bem-intencionados. É aceitável que eles o acompanhem na jornada. Na realidade, esses encrenqueiros podem ser bastante úteis. O fato de eles aparecerem pode ser um sinal de que você está tendo uma oportunidade de crescimento.

Imagine que você venha comendo sistematicamente alimentos nutritivos e que promovem a perda de peso e vá a uma festa que oferece um bufê maravilhoso. Você nota, de imediato, o Monstro da Gratificação saltar de um beco escuro e se colocar bem no seu caminho. Se você reparar nisso, terá a chance de resolver o conflito fazendo algo diferente, lidando com esse encrenqueiro com bondade e autocompaixão e continuando a se dedicar ao que é importante para você: viver com compaixão e de uma maneira saudável. Embora o Monstro da Gratificação deseje que você aproveite tudo o que está disponível, você pode permitir que ele permaneça presente e ainda assim fazer escolhas saudáveis com o seu comportamento.

Faça uma revisão

Às vezes, você *efetivamente* notará que se desviou do rumo. A primeira solução, que é a mais fácil, é apenas verificar se você se desviou da sua direção planejada. Você pode, por exemplo, ter tido uma semana excepcionalmente atarefada, de modo que comeu mais do que pretendia e não se exercitou. Se for esse o caso, não se recrimine. Em vez disso, reoriente delicadamente os seus valores, defina algumas metas e siga o seu caminho.

Se determinados encrenqueiros continuarem a lhe atrapalhar, pode ser proveitoso rever os capítulos anteriores. Os encrenqueiros mais comuns são os pensamentos improdutivos (pensamentos, razões e regras intolerantes e de autossabotagem), as emoções desagradáveis (sentir-se triste, ansioso, estressado, privado de alguma coisa, entediado e assim por diante) e os anseios.

Se você der consigo lutando com pensamentos improdutivos, volte ao Capítulo 3. Recapitule as estratégias e pratique os exercícios (ou, se você deu uma lida rápida no livro, experimente fazê-los pela primeira vez). Fique mais atento aos seus pensamentos e pratique estratégias que possam ajudá-lo a se afastar um pouco deles. Empenhe-se em encará-los apenas como pensamentos, e não como verdades absolutas. Observe os seus pensamentos, reconheça a natureza automática e frequentemente aleatória deles, agradeça à sua mente por tê-los apresentado e, depois, com autocompaixão, volte à atividade da vida. Basicamente, observe os encrenqueiros pelo que eles são – pensamentos improdutivos – e deixe que eles existam. A sua tarefa é tratá-los com bondade e convidá-los a acompanhá-lo enquanto você continua o seu caminho.

Se você se pegar tentando evitar ou corrigir sentimentos e anseios desagradáveis, volte ao Capítulo 4. Examine as intenções boas, porém equivocadas, que motivam os seus encrenqueiros. Em seguida, sorria para eles, abra-se para eles e para o que há em volta deles. Desmembre cada experiência nos seus componentes, um por um, apenas permanecendo com a experiência e abrindo espaço para ela. Recapitule o que significa agir com disposição e pratique novamente alguns dos exercícios. Defina algumas metas novas que o ajudarão a viver os seus valores na presença do desconforto para que você possa praticar agir com disposição. É importante praticar viver os seus valores tanto nas situações fáceis quanto nas difíceis. É aí que realmente surge a vitalidade de viver bem. Viver os seus valores mesmo em face de dificuldades é um ato de coragem. Abordar os seus sentimentos com bondade e autocompaixão é o trabalho de um herói.

Tudo está bem quando vive bem

Você sem dúvida já ouviu a frase "Tudo bem quando termina bem".[4] Eis como essa frase poderia ser interpretada: "Desde que as coisas aconteçam como eu desejo, está tudo ótimo. Não me importo como chegamos lá". Nós o convidamos a assumir uma postura diferente com relação à sua vida. E que tal: "Tudo bem quando *vive* bem?". Por que "vive bem"? Porque essa é a parte que você pode controlar: o que você faz e como você vive. Com base em nossa perspectiva, se você agir com disposição, se convidar os encrenqueiros do medo, da ansiedade, da dúvida e do julgamento para acompanhá-lo na jornada e fizer o que realmente é

---

[4] Tradução literal do ditado "All's Well That Ends Well", que também é o título de uma peça teatral de William Shakespeare. (N. dos trads.)

importante para você... nem sempre as coisas correrão bem. O que?! É isso mesmo que você leu: dissemos que nem sempre as coisas correrão bem. Às vezes tudo sairá às mil maravilhas, e em outras a vida parecerá um desastre.

A vida é imprevisível, e você não pode controlar o que as outras pessoas fazem. Portanto, o que lhe resta é decidir como *você* quer ser em cada momento da sua vida. Você pode ser amoroso mesmo que retribuam com raiva, porque ser amoroso é importante para você. Você pode ir a uma festa e compartilhar bons momentos com os seus amigos mesmo que as pessoas façam comentários a respeito de você comer ou deixar de comer, porque interagir é um dos seus valores. Você pode buscar a intimidade mesmo que o seu parceiro o rejeite, porque promover a intimidade é profundamente importante para você. Você pode sair para dançar, mesmo que a sua mente lhe diga que a sua aparência está horrível, porque dançar é importante para você.

Independentemente do resultado, viver os seus valores encerra vitalidade. Você permanece fiel a si mesmo e cresce, ainda que se veja diante de intensos desafios. A partir de agora, concentre-se no que você estiver fazendo, e não no que estiver acontecendo a você. Reconheça o que *pode* controlar: o seu comportamento. Esforce-se para ser tudo o que sempre quis ser. Viva a vida com coragem!

Como permanecer no rumo

Assim como a maioria das pessoas (inclusive nós), você poderá constatar que cai em uma rotina e depois se esquece de algumas das características improdutivas da sua mente – o pior orador motivacional do mundo, e a origem de todos os encrenqueiros, regras e razões inúteis e pensamentos pegajosos. E antes que você se dê conta, *pimba!* Você caiu na armadilha do preciso de conserto. Na seção que se segue, oferecemos várias dicas proveitosas que poderão ajudá-lo a permanecer no rumo ou voltar ao seu trajeto planejado quando a mente o tiver desviado da sua rota.

Os quilos versus a vida

Queremos compartilhar um segredo com você: não raro, a vida saudável transmite uma sensação agradável. Ela também pode produzir melhoras, pelo menos temporárias, na autoconfiança. Isso é ótimo. Afinal de contas, ter uma sensação agradável, bem... é agradável. Não há nada errado com isso. Mas às vezes a sua mente pode assumir o comando e começar a lhe dizer: *Estou me sentindo bem. Os meus pensamentos são positivos... preciso de conserto! A programação preciso de conserto realmente funciona!* Como enfatizamos, uma vida dinâmica inclui um vasto leque de pensamentos e sentimentos. Quando estes são predominantemente bons, é ótimo desfrutar a experiência, mas tome cuidado para não confundir se sentir bem com viver bem.

O primeiro lugar em que vemos isso se manifestar com os clientes é na balança. Quando você está perdendo peso, a balança pode ser uma fonte constante de confirmação. Os quilos continuam a diminuir, e você continua a se sentir melhor. Pode ser fácil esquecer que o que você está fazendo tem a ver com viver uma vida saudável com compaixão. O problema é que, quando o número na balança para de decrescer, você fica com um sentimento de vazio, depois do qual os pensamentos e sentimentos penosos retornam. Mas os pensamentos e sentimentos não oferecem uma orientação proveitosa para o comportamento. São os valores que fazem isso.

Trapaça

Vamos dizer isso sem meias-palavras: não existe trapaça em viver uma vida saudável com compaixão! A trapaça nem mesmo entra na equação. A verdadeira trapaça funciona mais ou menos assim: você mente na sua declaração de imposto de renda, o governo recebe uma arrecadação menor, e isso significa uma receita menor para os gastos e programas do governo. "Trapacear" na sua dieta não é trapaça de jeito nenhum. É simplesmente um comportamento, um ato. Ninguém é privado de nada, ninguém está presente para fazer qualquer julgamento e ninguém perde. A sua mente lhe dirá que você está trapaceando; essa é uma coisa que as mentes fazem. O que acontece de fato é que você não está vivendo em consonância com os seus valores. Quando você remove a "recomendação", a "obrigação" e a "trapaça" da equação, restam apenas você e aquilo com o que você quer se envolver.

A armadilha da perfeição

A ideia de que você não é perfeito, que fracassou, é outra coisa que a mente sempre prestimosa lhe oferece. Se você notar um constante palavreado interno caracterizado pela autocrítica, concentrado no que você não fez em vez de no que você fez, esteja bastante certo de que o pior orador motivacional do mundo está em ação.

Isso pode se manifestar até mesmo com os valores. A sua mente pode lhe dizer que você não está fazendo o suficiente ou que poderia ser mais competente. É claro que às vezes é proveitoso verificar se você pode fazer ajustes para colocar a sua vida mais em sincronia com os seus valores. Mas você precisa ser cuidadoso nesse caso. Para cada vez que talvez seja proveitoso reavaliar as suas prioridades, poderá haver cinco, dez ou cem vezes em que a sua mente o está apenas criticando. Se você parar de seguir o seu caminho para enfrentar esse encrenqueiro crítico todas as vezes que surgirem esses pensamentos, isso vai atrapalhar as coisas importantes que você quer fazer. Com frequência, a melhor medida é se reorientar para o que você pode fazer nesse momento, nesse dia ou nessa semana e começar a avançar de novo. Deixe que as críticas o acompanhem no percurso, sabendo que, às vezes, elas serão muito ruidosas!

Obstáculos ao crescimento

Você poderá estar vivendo uma vida mais baseada em valores e, de repente, um novo encrenqueiro aparecer. Um dos clássicos é a sua mente acusá-lo de ser egoísta e lhe dizer que você não merece reservar um tempo para si mesmo – que você precisa passar esse tempo fazendo coisas para os outros.

Saiba que praticamente qualquer ação tem efeitos a curto e a longo prazo. Vamos examinar o exemplo de você sair para caminhar quando a sua família preferiria tê-lo em casa. A curto prazo, a sua família poderá ficar triste porque você está fazendo uma coisa para si mesmo. Um dos membros da família poderá até mesmo dizer algo que o perturbe ou se queixar de que você deixou de fazer uma tarefa doméstica que teria sido útil.

No entanto, partindo do princípio de que você está cuidando das suas responsabilidades básicas com relação à sua família, cuidar de si mesmo sempre o ajudará a ser mais participante e dedicado com o tempo. Tratar a si mesmo com amor e bondade o ajuda a proporcionar aos outros o mesmo cuidado. Infelizmente a sua mente talvez nunca venha a entender isso. Ela poderá se manifestar e gritar sempre que você estiver malhando quando poderia estar fazendo outra coisa. Você talvez tenha de abrir espaço para esse encrenqueiro na sua jornada.

Um comentário afim é que você talvez note que o seu parceiro ou alguns membros da família têm medo de que você mude. As coisas não deveriam ser dessa maneira, mas compreenda que eles têm o próprio conjunto de encrenqueiros lhes dizendo o que fazer e dizer. À medida que você emagrecer e se sentir melhor, o seu parceiro poderá se sentir inseguro ou se ver diante de um novo encrenqueiro gritando cada vez mais alto que você vai começar a receber atenção de outras pessoas ou que você vai deixar de amá-lo.

Veja se consegue se colocar no lugar do seu parceiro ou membro da família. Imagine como é a jornada da outra pessoa. Em seguida, relacione-se com os seus valores e aja com bondade amorosa, mesmo em face de críticas ou da falta de apoio. Você ainda pode ser a pessoa que deseja ser. Aja com disposição, seja compassivo e viva em harmonia com os seus valores de relacionamento. Na maioria das vezes os outros mudam de ideia depois que você os tranquiliza por meio das suas ações.

Pare de dar explicações

As pessoas estão sempre se explicando. Quer essas explicações sejam verdadeiras ou falsas raramente nos interessa. As explicações têm o seu lugar, mas frequentemente são oferecidas quando a situação não as exige.

As pessoas certamente não precisam ser justificadas. Pense por um momento em quanta autojustificação e explicação você realiza dentro de si mesmo, como se o tribunal que o julga finalmente fosse considerá-lo inocente se a explicação que você der para os seus "crimes" for boa o bastante. Nessa fantasia, você, um dia, sairá desse tribunal como uma pessoa livre.

Às vezes, as ações das pessoas precisam de explicação, porém, com mais frequência, só precisamos mesmo saber se uma coisa foi ou não feita: "Comi um cheeseburger". "Assisti à televisão durante três horas". Declarações desse tipo, quer sejam expressas em voz alta ou apenas como pensamentos, são quase sempre acompanhadas de "porque..." Infelizmente, a explicação com frequência se torna uma armadilha: *Se ao menos eu tivesse sido mais motivado (inteligente, melhor, amável...). Mas não fui e agora preciso aceitar a minha sorte.*

Alternativamente, você pode ter a sensação de que deveria ser capaz de se explicar, mas não consegue, e portanto sentir que, de alguma maneira, você é insuficiente ou um fracasso. Isso também se torna uma armadilha: *Fracassei, e não há um bom motivo para isso. Nunca serei bem-sucedido.*

Entre os nossos clientes, vimos com frequência o "porque" se tornar uma obsessão. As pessoas podem ficar obcecadas em encontrar explicações "adequadas": "Sou viciado". "Não tenho tempo suficiente". "Os hábitos da minha família me obrigam a comer demais". "A minha história faz com que eu tenha muita dificuldade para me abrir com as pessoas". Às vezes, os clientes ficam surpresos com o pouco interesse que temos nas explicações deles ou o pouco tempo que passamos buscando explicações.

Nós nos interessamos pelo que funciona. Nós nos importamos com um pequeno ato que você poderia praticar hoje e que talvez revestisse a sua vida de mais significado, vitalidade e propósito. É fácil dar explicações de por que você fez ou deixou de fazer alguma coisa – e elas frequentemente não fazem muita diferença. Praticar até mesmo um pequeno ato baseado em valores supera qualquer explicação.

Não temos a intenção de parecer duros. Não estamos dizendo que as explicações são necessariamente falsas. O que ocorre é que elas encobrem o que é realmente importante se você deseja mudar o seu comportamento. A mente humana é engenhosa e consegue explicar quase tudo. Com excessiva frequência, as pessoas se satisfazem com uma boa explicação. Estamos muito mais interessados nas ações do que em explicações sobre as ações. Você se envolveu com uma atividade de qualidade ou não? De qualquer modo, como correram as coisas?

A sua mente, a sempre inútil encrenqueira, ficará bastante nervosa em nome da explicação e justificação. Isso é aceitável. A sua tarefa é observar isso, dar um passo atrás e concentrar-se naquilo que de fato importa: viver a sua vida.

EXERCÍCIO DE PRÁTICA PROLONGADA
▷▷ **Seja um cientista**

Em qualquer situação, por qualquer razão, se você se vir em dificuldades, você pode se voltar para este simples exercício. Aborde qualquer atividade que você esteja executando como se fosse um cientista. O seu único objetivo é entrar profundamente em contato com o que estiver acontecendo e documentar essa ocorrência para um posterior estudo.

Comece pelo seu corpo. Que sensações você nota? Onde elas estão? Onde começam e terminam? Como você as sente? Imagine que você está observando essas sensações pela primeira vez e com uma pura curiosidade. Registre tudo o que sentir.

Em seguida, observe os seus pensamentos. Que tipos de pensamento você está tendo? Veja se consegue observá-los e categorizá-los: "Ali está um de medo", "Eis um crítico", "Este é um pensamento aleatório a respeito de um contrassenso", "Aquele envolve uma preocupação com relação a algo que poderá acontecer no futuro", "Aquele é a respeito de uma coisa que tenho a fazer que não quero esquecer" e assim por diante. Observe os pensamentos imparcialmente e categorize-os sem se deixar envolver por eles. Maravilhe-se com a complexidade, tenacidade e aparente aleatoriedade da sua mente como se a estivesse observando pela primeira vez.

Então, volte-se para os seus sentimentos. Repare em quaisquer estados de sentimentos e observe o fluxo e refluxo deles. Tente senti-los como se os estivesse sentindo pela primeira vez. Observe-os de uma maneira estruturada para estudá-los, como se você fosse escrever um ensaio a respeito do que eles o fazem sentir.

Depois de observar todos esses aspectos da sua experiência como um cientista, verifique o que é importante para você naquele momento. Veja se consegue encontrar uma pequena maneira de agir com disposição naquele momento e deixar que o restante da sua experiência o acompanhe na jornada.

Resumo

Todo este livro se resume a uma simples escolha: você escolherá viver os seus valores, mesmo quando isso for difícil ou desagradável, e até mesmo quando a sua mente lhe fornecer uma centena de razões pelas quais você não deveria fazer isso? Essa é uma escolha que você enfrentará com frequência, e você sempre tem a oportunidade de fazer essa escolha. Às vezes você pode não ver a possibilidade de escolha, mas ela está presente. Todos temos a chance de decidir o que fazer com o nosso comportamento. Não podemos escolher os nossos pensamentos e nossos sentimentos ou quais serão os resultados do nosso comportamento, mas temos a oportunidade de decidir o que fazemos.

É como um interruptor: você sempre pode escolher ligá-lo e buscar o que é importante para você. Em algumas ocasiões o interruptor ficará desligado. Não há nenhuma "recomendação" ou "obrigação" aqui. A vida é sua, e você pode fazer o que quiser com ela. A meta não é ser perfeito: a meta é seguir adiante em direção a uma vida que contém mais vitalidade, compaixão e satisfação.

Se sentir que se desviou da rota, você sempre pode usar as seguintes perguntas para retomar o rumo certo: "Estou me comportando em consonância com os meus valores e objetivos?". "Estou me deixando convencer por pensamentos improdutivos?" "Estou tentando evitar me sentir de determinada maneira?"

A vida é uma coisa grande, desordenada, deslumbrante, desastrosa e prazerosa. Experimente ligar esse interruptor com uma frequência um pouco maior do que você faz agora e veja o que acontece.

Capítulo 7

A essência da perda de peso

Em essência, a perda de peso é uma simples conta de aritmética. Para perder peso, você precisa queimar mais calorias do que assimila por meio da alimentação. Realmente é isso. Sem dúvida pode ser difícil colocar em prática esse conhecimento, por uma série de razões. No nível mais básico, é difícil perder peso se você não sabe como monitorar a quantidade de calorias que consome *versus* a quantidade que queima. Você também pode se beneficiar de algumas informações simples que podem ajudá-lo a inclinar esse resultado a seu favor. Este capítulo lhe fornecerá alguns detalhes ou funcionará como um breve curso de reciclagem.

Você talvez se pergunte por que colocamos este capítulo no fim do livro. Afinal, a perda de peso não consiste nisso? Como você agora sabe, essa não é a nossa opinião. Embora as informações deste capítulo sejam muito úteis e relativamente simples, se a perda de peso fosse apenas uma questão de educação, o número de pessoas com excesso de peso seria certamente muito menor. Na realidade, essas informações acabam sendo usadas de maneiras que não funcionam muito bem. Se você caiu na armadilha do preciso de conserto, na qual você tenta emagrecer porque acredita que isso vai melhorar a maneira como você pensa e se sente, ao lado da maioria de outros aspectos da sua vida, sem que você tenha de mudar o que você faz, as informações deste capítulo não o levarão muito longe. Se você usar estas informações para se condenar a uma dieta e um regime de exercícios rígidos e pouco gratificantes, você poderá ter bons resultados a curto prazo, mas é bastante provável que eles esmoreçam com o tempo. Não é uma questão de ter informações, e sim de como você as utiliza.

Colocamos este capítulo no final do livro para que você possa usar as informações que ele contém em prol de uma vida saudável baseada em valores. Esperançosamente, você usará a contagem de calorias como uma maneira de fornecer uma nutrição e cuidados apropriados ao seu corpo para que você possa se envolver com bons hábitos de trabalho, interagir com os amigos e a família, desfrutar atividades gratificantes e tratar os outros com amor e bondade. Contar calorias é muito mais eficaz e significativo quando isso é feito em prol de viver uma vida dinâmica e satisfatória, em oposição a tentar se livrar de uma forma física indesejável e dos pensamentos e sentimentos que a acompanham. Sendo assim, por favor, use estas informações para alimentar uma vida baseada em valores.

O equilíbrio da energia

O seu peso é determinado pelo equilíbrio entre as calorias (ou energia) que você ingere e as calorias que você gasta sendo ativo. Se você ingerir o mesmo número de calorias que gasta, o seu peso permanecerá mais ou menos o mesmo, porque as calorias consumidas se equiparam às calorias despendidas ou se equilibram com elas. Se você deseja perder peso, a melhor maneira de fazer isso é consumir menos calorias e ser mais ativo.

Um déficit de 3.500 calorias costuma resultar em uma perda de meio quilo de peso. Portanto, se você queimar 3.500 calorias a mais do que consumir em qualquer intervalo de tempo, você provavelmente perderá cerca de meio quilo. Você pode escolher o seu ritmo de emagrecimento. Uma perda de peso sustentável geralmente é alcançada por meio de uma perda de meio quilo a um quilo por semana, embora você possa perder mais do que isso nas duas a oito primeiras semanas em que limitar as calorias e aumentar o exercício. Uma abordagem moderada geralmente é a melhor, pois a intensa restrição de alimentos pode causar problemas de saúde. Além disso, ela também não é compatível com uma vida baseada em valores. Não apoiamos as dietas extremas, não sustentáveis.

Eis uma diretriz rudimentar relacionada com quantas calorias você deve consumir, somando alimentos e bebidas, para perder de meio a um quilo por semana com base no seu peso atual, embora você possa precisar de uma quantidade maior se estiver muito ativo:

Se você pesa menos de 90 quilos, tenha por meta ingerir cerca de 1.200 calorias por dia.

Se você pesa entre 90 e 135 quilos, tenha por meta ingerir cerca de 1.500 calorias por dia.

Se você pesa mais de 135 quilos, tenha por meta ingerir cerca de 1.800 calorias por dia.

Se você estiver acima do peso, o fato de perder apenas 10% do seu peso corporal resultará em benefícios significativos para a saúde, inclusive a redução dos níveis da pressão sanguínea e do colesterol. Portanto, se você pesa 86 quilos, e a perda de peso for parte de viver com compaixão uma vida saudável, perder 9 quilos é uma boa meta inicial. Perder essa quantidade de peso e manter essa perda proporcionará benefícios significativos para a saúde ao longo do tempo.

EXERCÍCIO
▷▷ Calcule quantas calorias você tipicamente queima

Agora está na hora de testar a sua competência em matemática. (Desculpe-nos!) Escreva em uma das linhas do seu diário "A: Taxa metabólica em repouso", "B: Calorias queimadas pelas atividades do dia a dia" na linha seguinte e "C: Calorias queimadas pelo exercício" em uma terceira linha. Em seguida, visite um *website* onde você possa calcular a sua taxa metabólica em repouso (por exemplo, http://www.bmi-calculator.net/bmrcalculator).[5] Este é o número de calorias que você queima simplesmente por estar vivo. Em outras palavras, se você ficar na cama o dia inteiro, essas são as calorias que você queimará. Você provavelmente ficará muito entediado, mas estamos divagando. Escreva esse número na linha A do seu diário.

---

[5] Este site é excelente. Depois de calcularmos a nossa taxa metabólica, ele dá indicações sobre o consumo ideal de calorias de acordo com o objetivo, ganhar ou perder peso. No entanto, o site é em inglês. Mas existem muitos *sites* em português que fazem esse cálculo. (N. dos trads.)

Todos nós praticamos atividades diárias, como subir escadas, executar tarefas domésticas e ir de um lugar para outro. Essas atividades também queimam calorias. Uma boa estimativa é 350 calorias se você for relativamente sedentário, e 550 se for relativamente ativo, por exemplo deslocando-se muito a pé, precisando caminhar de um lado para o outro por causa do seu trabalho ou executar muitas tarefas domésticas, cuidar do jardim ou cortar a grama. Escreva esse número na linha B do seu diário.

Se você pratica atividades físicas com o objetivo de se exercitar, isso também queima calorias. Estas são anotadas na linha C. Se você é relativamente ativo (exercitando-se, em média, de vinte a trinta minutos por dia), você provavelmente queima entre 100 e 150 calorias. Se você não pratica nenhuma atividade física, deixe a linha C em branco. Se o seu nível de atividade for moderado, situando-se em um ponto intermediário, você provavelmente queima de 50 a 75 calorias. Uma vez que você tenha preenchido a linha C, some os três números.

Eis o exemplo de uma mulher de 45 anos que tem 1,63 m de altura e pesa 190 quilos:

A: 1.571
B: 350
C: 50
Total: 1.971

Essa mulher queima cerca de 1.971 calorias por dia. Como sabemos que é necessário um déficit de 3.500 calorias para produzir meio quilo de perda de peso e que perder de meio quilo a um quilo por semana é sustentável, uma meta adequada para essa mulher seria consumir entre 1.200 e 1.400 calorias por dia. Isso produziria um déficit de 570 a 770 calorias por dia, de modo que ela perderia meio quilo a cada cinco ou sete dias.

Pronto! Você agora é um especialista em perda de peso. Mas espere. Deseja saber mais? Ok, vamos conversar a respeito da comida.

A comida

Não há alimentos específicos que você tenha de comer ou deixar de comer desde que você equilibre as calorias consumidas e as queimadas. No entanto, você deve ter discernimento. Você sabe muito bem que comer 1.200 calorias de doces não é saudável. A melhor abordagem é comer alimentos naturais saudáveis que você continuará a comer depois de perder peso. Esforce-se para incluir na sua dieta uma quantidade maior de alimentos saudáveis que você aprecia ou dos quais pode aprender a gostar.

Grãos integrais, hortaliças, leguminosas e frutas são os alimentos mais saudáveis que você pode comer. Eles contêm uma grande quantidade de nutrientes, e muitos estudos mostram que eles ajudam o corpo a funcionar melhor e promovem a saúde a longo prazo (Block, Patterson e Subar, 1992; Sacks *et. al.*, 2001). Esta informação não é nova, mas merece ser repetida: evite o máximo possível os alimentos processados e pré-embalados. Procure ingredientes naturais. E, sempre que possível, compre alimentos naturais e prepare as suas próprias refeições.

Esses alimentos saudáveis proporcionam outro importante benefício. Muitos deles são ricos em nutrientes e têm poucas calorias, o que significa que você pode comer porções maiores deles. Isso é satisfatório, ao mesmo tempo que mantém o equilíbrio calórico a seu favor. Uma pesquisa muito interessante mostrou que as pessoas têm a tendência de comer o mesmo peso de alimentos, independentemente do tipo deles (Bell *et. al.*, 1998). Em outras palavras, você está propenso a comer a mesma quantidade de comida *por peso*, quer se sente para fazer uma refeição de bife com batatas ou comer um prato de salada, arroz integral, hortaliças e um pouco de proteína magra, como peru. No entanto, a segunda refeição contém menos calorias, de modo que haverá menos a serem queimadas mais tarde. Ela também contém mais nutrientes e proporciona muitos benefícios à saúde.

Você talvez acredite não gostar de hortaliças. Muitas pessoas que pensam dessa maneira não experimentaram diferentes métodos de prepará-los ou combinações de várias hortaliças. Empenhe-se em comer mais hortaliças, em experimentar várias receitas e em tornar isso divertido. Além disso, tenha consciência de que as preferências alimentares podem mudar – se você der a elas uma chance. Você precisa limitar o consumo de alimentos ricos em gordura e açúcar, como refrigerantes, bolo, *cookies* e coisas semelhantes. Se não fizer isso, terá mais dificuldade em mudar as suas preferências alimentares.

De um modo geral, uma dieta com menor teor de gordura ajuda as pessoas a perderem peso (Tuomilehto *et. al.*, 2001; Look AHEAD Research Group, 2007). No entanto, as calorias são o fator mais importante. Se você comer apenas alimentos com baixo teor de gordura e sem gordura, mas consumir 2.500 calorias por dia, você só perderá peso se for extremamente ativo. Sentimos muito informar isto a você, mas aquele queijo desnatado light não é uma opção saudável se você consumir uma grande quantidade dele. Em última análise, você precisa examinar de que maneira alimentos específicos se encaixam na sua alimentação como um todo. É preciso haver um déficit de calorias para perder peso, independentemente dos alimentos que você comer. Mesmo assim, como reduzir o consumo de gordura tem sido associado a benefícios positivos para a saúde (Knowler *et. al.*, 2002), isso é frequentemente recomendado. A limitação do açúcar também tem sido associada a uma saúde melhor (Lustig, Schmidt e Brindis, 2012).

Tenha consciência de que, se você restringir intensamente o consumo de alimentos desejados, o tiro pode sair pela culatra. Se você se sentir privado das coisas de que gosta, esses alimentos poderão se tornar ainda mais sedutores. Você talvez já tenha notado isso. Você já jurou que nunca mais iria comer determinados alimentos e mais tarde deu consigo consumindo-os compulsivamente? Se você adora sorvete, não o elimine completamente, apenas tome-o com menos frequência, talvez uma ou duas vezes por mês, como um prazer especial. E quando o tomar, encaixe-o abstendo-se das calorias de outros alimentos. Em outras palavras, planeje e prepare a gratificação ocasional.

Equilibre a nutrição e o prazer

Pense nos alimentos que você come como tendo dois atributos: o prazer e a nutrição. O segredo é encontrar alimentos altamente nutritivos que também proporcionem prazer. Por exemplo, muitas pessoas consideram a batata-doce, o pimentão vermelho e a salada – alimentos com elevado valor nutritivo – relativamente saborosos. Tenha por meta obter a maior parte dos alimentos que você come dessa categoria altamente nutritiva e prazerosa. Bolos, *cookies* e a maioria das sobremesas tendem a proporcionar um prazer elevado porém uma baixa nutrição, mas eles também têm o lugar deles. É interessante que uma quantidade limitada dos alimentos que você come sejam provenientes dessa categoria pouco nutritiva para você não sentir uma grande privação. Se você costuma ser muito seletivo com relação à comida, é importante também incluir alimentos da categoria pouco prazerosa e altamente nutritiva. Talvez para você eles sejam o brócolis, a couve ou a couve-de-bruxelas. (A propósito, adoramos couve-de-bruxelas e o encorajamos a dar uma chance a ela!)

Finalmente, há a categoria de pouco prazer e pouca nutrição. Recomendamos evitar essa categoria. Ela geralmente entra em jogo quando você participa de reuniões sociais ou come fora, ou quando um dos membros da família costuma ter guloseimas que você não aprecia muito. Por exemplo, digamos que você não goste muito de torta de limão feita com gema de ovo e leite condensado ou de pratos preparados com maionese, mas você come um pouco porque é o que está sendo servido ou apenas porque está disponível. Essa é uma proposição em que todos saem perdendo. Não há razão para que você desperdice calorias em uma coisa que praticamente não lhe proporciona nenhum prazer. Procure fazer longas listas de alimentos que se encaixam em cada uma das quatro categorias e use-as para orientar as suas escolhas.

Coma com atenção

Comer é algo que podemos fazer de modo automático, assim não é de causar surpresa que com frequência voltemos a atenção para outro lugar. Muitos de nós comemos diante da televisão, quando estamos nos movimentando ou na mesa de trabalho. No entanto, quando você come e se distrai com outras coisas ao mesmo tempo, é difícil guardar na memória o que você comeu. O seu cérebro está ocupado e não está assimilando todas as informações relevantes. Sem essas informações, temos a tendência de comer demais e, o que talvez seja ainda pior, de achar automaticamente que precisaremos fazer uma refeição maior mais tarde.

Você pode evitar que isso aconteça por meio de algumas simples estratégias. Em primeiro lugar, escolha um local específico para comer. Caso ainda não faça isso, sente-se à mesa de jantar ou na sala de descanso no trabalho, em vez de no sofá ou na mesa de trabalho. Faça uma pausa antes de comer e conscientize-se de tudo o que está no seu prato durante apenas cinco segundos.

Coma devagar, colocando os talheres no prato depois de cada garfada. Preste atenção a todos os aspectos da comida: a aparência dela, os aromas, a textura e os sabores. É impressionante a frequência com que não saboreamos os alimentos que comemos. Exercite-se também prestando atenção ao que a comida fará por você e pelo seu corpo, se ela proporcionará uma energia proveitosa e prolongada para o corpo e como você usará essa energia para alimentar uma vida baseada em valores.

Faça um registro

Sem dúvida, a coisa mais poderosa que você pode fazer para se ajudar a perder peso é registrar o que consome. Foi comprovado que anotar tudo o que você come ou bebe, junto com o número de calorias, e depois calcular o total de calorias consumidas diariamente é útil para perder peso e manter a perda (Baker e Kirschenbaum, 1993; Wing e Hill, 2001). O motivo pode ser óbvio, mas vamos informá-lo de qualquer modo: se você não sabe exatamente o que está entrando no seu corpo, não há como saber se está com um déficit de calorias. Existem ferramentas *on-line* bastante úteis para você fazer esse registro (por exemplo, em http://myfitnesspal.com), ou você pode simplesmente manter um diário em um pequeno caderno, usando uma página para cada dia. Você também pode acompanhar o consumo de gordura ou de proteínas, mas isso não é necessário. O segredo é fazer disso um hábito que você venha a manter. Acompanhar o consumo de comida e calorias o ajudará a perder peso.

Você também vai precisar de um guia para verificar as calorias dos diferentes alimentos. Há muitas ferramentas úteis na internet, ou você pode comprar um livro que forneça essas informações, como *The CalorieKing Calorie, Fat, and Carbohydrate Counter*, de Allan Borushek. Monitorar as calorias pode ser inicialmente trabalhoso. Não vamos dourar a pílula: é um "pé no saco" pesquisar tudo o que você come, mas com o tempo fica bem mais fácil. E se você tiver um diário de alimentação como parte de uma vida baseada em valores, você estará fazendo isso porque é importante para a sua saúde, seus relacionamentos, trabalho e vida recreativa, e todas as vezes em que você registrar o que consumiu, pode permanecer consciente disso. É importante. Se, por outro lado, você fizer isso porque está tentando consertar alguma coisa que está "errada" com você, isso será mais como um fardo.

A outra ferramenta disponível é a seção de Informação Nutricional nos rótulos dos produtos embalados. Tome cuidado porque as calorias e a gordura relacionadas no rótulo são para *uma* porção. Para calcular quantas calorias você comeu, é preciso saber se comeu efetivamente uma porção, mais do que uma porção ou menos. A maioria das pessoas tende a comer mais de uma porção (nós sabemos que fazemos isso!), de modo que não deixe de prestar atenção à porção relacionada no rótulo. Se você precisar de ajuda para interpretar a informação nutricional nos rótulos, consulte as informações da ANVISA sobre rótulos de alimentos disponível no *website* da agência (http://portal.anvisa.gov.br/wps/portal/anvisa/anvisa/home). No *site*, pode ser feito o *download* do "Manual de Orientação aos Consumidores sobre Rotulagem Nutricional: Educação para o Consumo Saudável".

Praticamente todas as pessoas subestimam a sua ingestão de calorias (Heitmann e Lissner, 1995; Mertz *et. al.*, 1991). Por que é tão difícil ser preciso? As pessoas têm uma tendência natural a ser tolerantes consigo mesmas ao estimar o tamanho da porção ou os ingredientes nos alimentos preparados, por exemplo quando comem alguma coisa em uma festa ou restaurante. Elas também se esquecem de alguns itens ou omitem intencionalmente outros. Não é que estejam deliberadamente enganando a si mesmas; trata-se apenas de uma tendência natural, agravada pela nossa vida movimentada. É melhor pressupor que você está registrando os números a menos todas as vezes, provavelmente pelo menos em 15 por cento.

Em última análise, a balança da cozinha o ajudará muito a garantir uma maior precisão. No caso de alimentos que você come regularmente, pese a sua porção típica e veja a que quantidade de comida ela realmente corresponde. Se for comida embalada, calcule quantas porções você costuma comer. Você pode se tornar mais competente nisso com o tempo, mas não há de fato nenhum substituto para simplesmente medir e pesar para ter certeza de que você está atingindo a sua meta de calorias. Mesmo quando achar que já sabe exatamente como fazer "de olho", pode ser extremamente útil começar a medir novamente. Você poderá descobrir que se desviou da meta.

Como se pesar

Em última análise, a balança lhe dirá se você se desviou ou não da meta. Se você achar que o seu déficit é de 300 a 500 calorias por dia, mas o seu peso estiver aumentando, o seu monitoramento de calorias está incorreto. Experimente pesar e medir toda a sua comida durante uma semana para ver o que está acontecendo.

Você poderá se perguntar com que frequência deve se pesar. Não existe uma regra, mas muitos especialistas recomendam não menos de uma vez por semana e não mais de uma vez por dia. Se você se pesar com mais frequência do que isso, verá flutuações que não são muito proveitosas. Mas consultar o seu peso ao longo de uma semana ou mês é muito útil se você usar os números como informação, não como uma acusação, e fizer os ajustes que forem necessários. Independentemente do número de vezes que você se pesar, a melhor hora é de manhã, logo depois de acordar e antes de comer ou beber qualquer coisa. Isso lhe proporcionará leituras mais regulares.

A atividade física

O exercício regular ajuda a promover a perda de peso porque faz com que você gaste mais calorias. Por exemplo, caminhar 1.600 metros queima mais ou menos de 100 a 200 calorias, dependendo do seu peso e da rapidez com que você caminha. No entanto, o exercício não substitui o controle de calorias se a sua meta é perder peso. Você pode, por exemplo, anular uma caminhada de cinco quilômetros se comer um grande *cookie* de chocolate na confeitaria. Uau! Não vamos nem tratar do sorvete ou da torta.

O exercício tem muitos outros benefícios. Ele ajuda a reduzir o seu risco de doenças do coração, diabetes e câncer, e isso é válido mesmo que o seu peso não se altere (Haskell *et. al.*, 2007). A boa forma física é extremamente importante para a saúde, independentemente de quanto você pese. Isso por si só deveria representar um bom incentivo para fazer você se mexer. É claro que o exercício regular também está fortemente relacionado com a manutenção de um peso mais saudável.

Exercite-se o máximo que puder no tempo que tiver disponível e sem se arriscar a ter uma lesão. Se você não tem se exercitado ultimamente, comece com algo moderado, como a caminhada, e devagar. Você pode experimentar se exercitar apenas 25 minutos durante toda a primeira semana e depois acrescentar 25 minutos a cada semana subsequente. Distribua-os ao longo de três dias no início e depois ao longo de cinco dias até chegar a 100 minutos de exercício por semana. O American College of Sports Medicine (ACSM) recomenda 250 minutos de exercício por semana. Não se preocupe; é aceitável chegar lá gradualmente.

Quanto ao tipo de exercício a fazer, a resposta é simples: alguma coisa de que você goste! Existem inúmeras opções: caminhar, nadar, jogar tênis, andar de bicicleta, ter aulas de ginástica, exercícios por meio de vídeos e muito mais. Certifique-se apenas de ser uma atividade cardiovascular, ou aeróbica. Em outras palavras, deve ser algo que acelere o seu batimento cardíaco. Falando de modo geral, você deve estar respirando rápido o bastante para poder falar mas não cantar. Você deve ser capaz de manter uma conversa com um amigo enquanto caminha, mas se conseguir começar a cantar, acelere o passo! Se, por outro lado, tiver dificuldade para respirar ou não conseguir falar, diminua o ritmo.

Algumas pessoas descobrem um tipo de exercício que adoram (ou conseguem tolerar) e simplesmente o repetem sempre. Se isso funcionar para você, vá em frente. Já outras precisam alternar as atividades. Se você acha que não gosta de nenhum tipo de exercício, a nossa recomendação é experimentar muitas coisas diferentes. Você vai acabar encontrando alguma coisa que esteja disposto a fazer. Se o tempo for um problema para você, exercite-se pela manhã antes que o seu dia fique muito agitado. Programe o exercício como programaria uma reunião à qual você não possa faltar.

Não tente substituir o exercício por atividades do dia a dia. Cuidar do jardim e limpar a casa são excelentes atividades, e você queima calorias quando as executa. No entanto, elas não proporcionam os benefícios para a saúde e o peso descritos anteriormente. Não existe nenhum substituto para o exercício propriamente dito.

Além disso, pense na sua segurança. Antes de iniciar um novo programa de exercícios, verifique se você tem alguma restrição médica. Para evitar lesões, comece qualquer atividade em uma intensidade mais baixa durante os primeiros cinco minutos e termine-a da mesma maneira. Se você sentir dor no peito, pare e sente-se ou deite-se. Se a dor não desaparecer rapidamente, vá para a emergência de um hospital. Se a dor desaparecer mas voltar sempre que você praticar uma atividade, consulte o seu médico. Entre outros sintomas associados ao exercício que você deve informar ao seu médico estão a falta de ar, a sudorese excessiva, a tontura e o enjoo.

Prepare-se para o sucesso

Viver um estilo de vida saudável pode se tornar mais fácil com algumas simples adaptações no seu ambiente familiar. Tenha em casa, à vista, alimentos e petiscos saudáveis e mantenha fora de casa os alimentos e petiscos tentadores altamente calóricos. É muito menos provável que você coma alimentos pouco saudáveis se eles não estiverem prontamente disponíveis.

Planeje as suas refeições com antecedência, antes de ir ao supermercado. Faça uma lista para saber o que comprar e compre apenas o que estiver na lista. Prepare pratos saudáveis de antemão. Coloque petiscos saudáveis em recipientes transparentes para que você possa vê-los com facilidade na despensa ou na geladeira. Isso torna mais fácil fazer uma escolha saudável. Leve um almoço saudável preparado em casa para o trabalho ou para a escola.

Coma o mínimo possível fora de casa. A comida dos restaurantes é uma importante fonte de calorias para a maioria das pessoas. De um modo geral, esses estabelecimentos tentam tornar a comida o mais saborosa possível prestando pouca ou nenhuma atenção à saúde, e a porção deles tende a ser de duas a cinco vezes maior do que a recomendada. Quando for comer fora, examine *on-line*, se possível, o cardápio do restaurante antes de sair. Peça informações nutricionais dos pratos que eles oferecem, como os ingredientes e a contagem de calorias, se estiverem disponíveis. Pergunte também sobre a possibilidade de modificações, como não colocar manteiga ou azeite ou servir o molho à parte. Não raro os restaurantes ficam satisfeitos em atender a esse tipo de solicitação. Afinal de contas, você está pagando pela comida!

Se você comer fora e achar que pediu uma refeição extremamente saudável, calcule 1.000 calorias. Isso mesmo, 1.000. Se você achar que pediu apenas uma refeição "normal", suponha 2.000 calorias. Se achar que comeu uma refeição farta e pouco saudável, estime de 3.000 a 3.500 calorias. Se isso parece uma loucura, procure o site da sua rede de restaurantes favorita e verifique o conteúdo calórico de uma refeição que inclua um prato principal, uma entrada dividida e uma sobremesa (se você tem o hábito de comê-la). Você nunca mais olhará para a comida dos restaurantes da mesma maneira. Eis o conteúdo calórico de uma refeição "razoável" em um estabelecimento cujo nome não vamos fornecer: meia entrada de nachos (765 calorias), salada com frango grelhado (850 calorias) e meia sobremesa (645 calorias). São 2.260 calorias! Se você incluir um drinque, isso será mais do que a alimentação de um dia inteiro em uma única refeição. A moral da história? Você não pode comer fora com regularidade e perder peso.

Resumo

Nós apenas lhe fornecemos muitas "regras" para perder peso. Mas esperamos que você tenha aprendido que, se seguir as regras não estiver associado a viver com compaixão uma vida saudável, o que você fizer provavelmente não vai durar. E você agora sabe que perder peso para controlar ou mudar como você pensa e se sente provavelmente não vai sustentar os seus esforços com o passar do tempo. Por conseguinte, recomendamos usar essas diretrizes para se capacitar a agir de uma maneira mais positiva na vida. Nutra o seu corpo para poder buscar uma vida dinâmica mais voltada a seu propósito. E se as "regras" não estiverem funcionando – se não o estiverem conduzindo aonde você deseja ir – descarte-as. Descubra o que funciona para você e faça isso.

Referências

Baker, R. C. e Kirschenbaum, D. S. 1993. "Self-Monitoring May Be Necessary for Successful Weight Control." *Behavior Therapy* 24, pp. 377–94.

Bell, E. A.; Castellanos, V. H.; Pelkman, C. L.; Thorwart, M. L. e Rolls, B. J. 1998. "Energy Density of Foods Affects Energy Intake in Normal-Weight Women." *American Journal of Clinical Nutrition* 67, pp. 412–20.

Block, G.; Patterson, B. e Subar, A. 1992. "Fruit, Vegetables, and Cancer Prevention: A Review of the Epidemiologic Evidence." *Nutrition and Cancer: An International Journal* 18, pp. 1–29.

Borushek, A. 2012. *The CalorieKing Calorie, Fat, and Carbohydrate Counter*. Costa Mesa, CA: Family Health Publications.

Butryn, M. L.; Forman, E.; Hoffman, K.; Shaw J. e Juarascio, A. 2011. "A Pilot Study of Acceptance and Commitment Therapy for Promotion of Physical Activity." *Journal of Physical Activity and Health* 8, pp. 516–22.

Cramer, P. e Steinwert, T. 1998. "Thin Is Good, Fat Is Bad: How Early Does It Begin?" *Journal of Applied Developmental Psychology* 19, pp. 429–51.

Dahl, J. e Lundgren, T. 2006. *Living Beyond Your Pain: Acceptance and Commitment Therapy to Ease Chronic Pain*. Oakland, CA: New Harbinger.

French, S. A.; Story, M. e Jeffery, R. W. 2001. "Environmental Influences on Eating and Physical Activity." *Annual Review of Public Health* 22, pp. 309–35.

Haskell, W. L.; Lee, I. M.; Pate, R. R.; Powell, K. E.; Blair, S. N.; Franklin, B. A. *et. al.*, 2007. "Physical Activity and Public Health: Updated Recommendation for Adults from the American College of Sports Medicine and the American Heart Association." *Medicine and Science in Sports and Exercise* 39, pp. 1423–434.

Hayes, S. C.; Luoma, J. B.; Bond, F. W.; Masuda, A. e Lillis, J. 2006. "Acceptance and Commitment Therapy: Model, Processes, and Outcomes." *Behaviour Research and Therapy* 44, pp. 1–25.

Hayes, S. C.; Strosahl, K. D. e Wilson, K. G. 1999. *Acceptance and Commitment Therapy: An Experiential Approach to Behavior Change*. Nova York: Guilford Press.

Hayes, S. C.; Strosahl, K.; Wilson, K. G.; Bissett, R. T.; Pistorello, J.; Toarmino, D. *et. al.*, 2004. "Measuring Experiential Avoidance: A Preliminary Test of a Working Model." *Psychological Record* 54, pp. 553–78.

Heitmann, B. L. e Lissner, L. 1995. "Dietary Underreporting by Obese Individuals: Is It Specific or Non-specific?" *British Medical Journal* 311, pp. 986–89.

Hill, J. O. e Peters, J. C. 1998. "Environmental Contributions to the Obesity Epidemic." *Science* 280 (5368), pp. 1371–374.

Knowler, W. C.; Barrett-Connor, E.; Fowler, S. E.; Hamman, R. F.; Lachin, J. M.; Walker, E. A.; Nathan; D. M. Diabetes Prevention Program Research Group, 2002. "Reduction in the Incidence of Type 2 Diabetes with Lifestyle Intervention or Metformin." *New England Journal of Medicine* 346(6), pp. 393–403.

Lillis, J.; Hayes, S. C.; Bunting, K. e Masuda, A. 2009. "Teaching Acceptance and Mindfulness to Improve the Lives of the Obese: A Preliminary Test of a Theoretical Model." *Annals of Behavioral Medicine* 37, pp. 58–69.

Look AHEAD Research Group, 2007. "Reduction in Weight and Cardiovascular Disease Risk Factors in Individuals with Type 2 Diabetes: One-Year Results of the Look AHEAD Trial." *Diabetes Care* 30, pp. 1374–383.

Lustig, R. H.; Schmidt, L. A. e Brindis, C. D. 2012. "The Toxic Truth About Sugar." *Nature* 482, pp. 27–9.

Mertz, W.; Tsui, J. C.; Judd, J. T.; Reiser, S.; Hallfrisch, J.; Morris, E. R.; Steele, P. D. e Lashley, E. 1991. "What Are People Really Eating? The Relation Between Energy Intake Derived from Estimated Diet Records and Intake Determined to Maintain Body Weight." *American Journal of Clinical Nutrition* 54, pp. 291–95.

Puhl, R. M. e Heuer, C. A. 2009. "The Stigma of Obesity: A Review and Update." *Obesity* 17, pp. 941–64.

Puhl, R. M. e Heuer, C. A. 2010. "Obesity Stigma: Important Considerations for Public Health." *American Journal of Public Health* 100, pp. 1019–028.

Sacks, F. M.; Svetkey, L. P.; Vollmer, W. M.; Appel, L. J.; Bray, G. A.; Harsha, D. *et. al.*, 2001. "Effects on Blood Pressure of Reduced Dietary Sodium and the Dietary Approaches to Stop Hypertension (DASH) Diet." *New England Journal of Medicine* 344, pp. 3–10.

Saelens, B. E. e Epstein, L. H. 1996. "Reinforcing Value of Food in Obese and Non-obese Women." *Appetite* 27, pp. 41–50.

Schvey, N. A.; Puhl, R. M. e Brownell, K. D. 2011. "The Impact of Weight Stigma on Caloric Consumption." *Obesity* 19, pp. 1957–962.

Sheldon, K. M. e Elliot, A. J. 1998. "Not All Personal Goals Are Personal: Comparing Autonomous and Controlled Reasons for Goals as Predictors of Effort and Attainment." *Personality and Social Psychology Bulletin* 24, pp. 546–57.

Sheldon, K. M. e Elliot, A. J. 1999. "Goal Striving, Need Satisfaction, and Longitudinal Well-Being: The Self-Concordance Model." *Journal of Personality and Social Psychology* 76, pp. 482–97.

Tuomilehto, J.; Lindstrom, J.; Eriksson, J. G.; Valle, T. T.; Hamalainen, H.; Ilanne-Parikka, P. et. al., 2001. "Prevention of Type 2 Diabetes Mellitus by Changes in Lifestyle Among Subjects with Impaired Glucose Tolerance." *New England Journal of Medicine* 344, pp. 1343–350.

Volkow, N. D. e Wise, R. A. 2005. "How Can Drug Addiction Help Us Understand Obesity?" *Nature Neuroscience* 8, pp. 555–60.

Walser, R. D. e Westrup, D. 2007. *Acceptance and Commitment Therapy for the Treatment of Post-traumatic Stress Disorder: A Practitioner's Guide to Using Mindfulness and Acceptance Strategies*. Oakland, CA: New Harbinger.

Wegner, D. M.; Schneider, D. J.; Carter, S. R. e White, T. L. 1987. "Paradoxical Effects of Thought Suppression." *Journal of Personality and Social Psychology* 53, pp. 5–13.

Wing, R. R. e Hill, J. O. 2001. "Successful Weight Loss Maintenance." *Annual Review of Nutrition* 21, pp. 323–41.